À Sophie
de Isabelle
xx

La Robe jaune

Tome 2 : En Cadillac

DU MÊME AUTEUR :

La Robe jaune, Tome 1 : Maman au Paradis, Montréal, Les Éditions Magiques, 2010

Isabelle Bussières

La Robe jaune

Tome 2 : En Cadillac

Conte

Catalogage avant publication de Bibliothèque et Archives nationales du Québec et Bibliothèque et Archives Canada

Bussières, Isabelle, 1972-

    La Robe jaune : conte

    Sommaire : t. 1. Maman au paradis – t. 2. En Cadillac.
    ISBN 978-2-923897-00-4 (v. 1)
    ISBN 978-2-923897-01-1 (v. 2)

    I. Titre. II. Titre: Maman au paradis. III. Titre: En Cadillac.

PS8603.U826R62 2010   C843'.6   C2010-942201-5
PS9603.U826R62 2010

Édition
Les Éditions Magiques Inc.
1155, boulevard René-Lévesque Ouest, Bureau 2500
Montréal (Québec) Canada H3B 2K4
Téléphone : 514-395-2159
Adresse électronique : info@leseditionsmagiques.com
Site Web : www.leseditionsmagiques.com

Couverture : Mélissa Tremblay
Photo de l'auteure : François Morin
Infographie : Geneviève Richer
Distribution : Édipresse

ISBN : 978-2-923897-01-1
Dépôt légal – Bibliothèque et Archives nationales du Québec, 2011
Dépôt légal – Bibliothèque et Archives Canada, 2011
Imprimé au Canada

À Léo.

Qu'est-ce que le spasme de vivre

Émile Nelligan

Il était une fois, à Lac-Simon…

Tout a commencé par un regard.

Dans chacun de ses yeux, il a vu une planète ; il a eu envie de les visiter.

Les deux planètes lumineuses irradiaient jusqu'à son cœur d'homme. Totalement subjugué et intrigué, il voulut en savoir plus.

Quand elle passa à ses côtés, il fixa sur elle un regard de braise.

— Salut ! dit-il simplement avec un sourire chaleureux. Je suis Pierrot.

— Salut ! répondit-elle de façon tout aussi enchantée. Moi, c'est Jade.

Ils ne le savaient pas encore, mais une histoire venait de commencer.

Quand elle lui téléphona, le surlendemain, elle sentit dans sa voix une étincelle. Elle en fut toute remuée. « Est-ce cela, le spasme de vivre ? »

Prologue

Dans une vie précédente, près des chutes Niagara...

Quand Jade entre dans la chambre, Richard dort d'un profond sommeil. Elle avance lentement vers lui.

Sent-il sa présence ? Il frémit à travers ses songes. Lorsqu'il ouvre les yeux, à demi conscient, il sursaute.

— Jade ?

La confusion et l'espoir colorent le visage du quinquagénaire souffrant.

— C'est moi ! répond-elle, enthousiaste.

Mais Richard ne l'entend pas. Seul le chant d'un oiseau, à l'extérieur, fait écho à la voix de Jade.

Il ouvre grand les yeux et rabat les couvertures. Il observe le faisceau blanc qui descend lentement du plafond.

— Je rêve ! s'écrit-il en se frottant les yeux. Jade, est-ce toi ?

Elle approche un peu plus, lui touche le bras ; il tressaille.

— Tu ne me vois pas, hein ? lance-t-elle comme pour elle-même. Tu ne peux pas me voir, je suis pareille à un fantôme ! Tu ne connais pas encore assez bien les mystérieuses lois des Sphères Célestes ! Il faudra que je t'enseigne dans ta ~~proch~~ istence, qui arrive d'ailleurs à grands pas.

e tortille dans le lit. Des spasmes secouent son des semaines. Une pneumonie l'a subitement t les médecins n'osent pas se prononcer sur un lissement. Son cœur, déjà gravement affaibli par des troubles cardiaques, peut lâcher à tout moment. Des visions d'un autre monde le hantent constamment, comme si la folie s'emparait peu à peu de son esprit.

Jade s'assoit sur le lit. Richard suffoque. Son heure est venue.

— Je viens te porter secours, mon amour! Je viens te chercher pour te faire entrer dans la Lumière. M'entends-tu?

Dehors, dans le jardin, l'oiseau chante de plus belle. Il semble vouloir inciter le soleil à se lever plus tôt.

« Bien sûr que non, tu ne m'entends pas. Mais tu me sens. Tu sens mon énergie, aussi subtile soit-elle. Bientôt, tu me verras. Dans la Lumière. »

Il se redresse, s'assoit. Il croit entendre des voix. Une voix…

Il continue à observer l'étrange rayon lumineux. Est-il en train de rêver? Est-ce une hallucination? Cette lumière blanche, étincelante, est-elle réelle?

Une forte poussée de fièvre le fait soudain frissonner.

— Oh non, pas ça! Pas la fin! gémit-il. Que vais-je devenir? Qu'est-ce qui m'attend de l'autre côté? Seras-tu là, mon amour? Jade, où es-tu? S'il est vrai que les esprits nous tiennent compagnie, alors montre-toi! J'ai besoin de toi. Maintenant!

Jade lui tourne le dos, se dirige vers la garde-robe et ouvre la porte. Elle est là, intacte. Lumineuse. Rayonnante. Dorée.

La robe jaune.

Jade s'en saisit, la revêt, se contemple dans le miroir, en passant. Mais, au fond, elle n'a nul besoin de miroir. Elle resplendit, elle le sait. Comme avant.

Elle s'avance vers Richard. Le temps file. Il ne lui reste que quelques secondes à vivre. Elle se concentre intensément afin de lui apparaître dans toute sa splendeur.

— Me voici, mon amour! lance-t-elle, heureuse de venir chercher son prince pour le propulser dans l'Autre Monde. Il me tarde que l'on se rejoigne dans une prochaine vie.

Malgré l'atroce douleur qui assaille tout son corps, Richard esquisse un sourire.

— Mon amour! murmure-t-il. Je te vois! C'est un miracle!

Il ouvre les yeux encore davantage pour admirer Jade dans sa magnifique robe jaune. Elle s'approche, pose une main sur la joue de son prince. Il touche la main de sa princesse. Une lumière blanche les enveloppe comme pour les unir.

— Je ne rêve pas! s'écrit-il. Tu es bel et bien ici, en chair et en os, dans ta belle robe jaune!

— Je dirais plutôt que je t'apparais dans mon corps astral. Je suis présente avec toi, mais dans la Lumière. Je suis venue t'assister dans ton voyage vers l'Au-delà. Nous retournons à la maison, toi et moi. Es-tu prêt?

Abasourdi, il prend une grande inspiration, rassemblant ce qui lui reste de forces :

— Oh oui, je suis prêt! J'attends ce moment depuis si longtemps! Depuis ton départ, en fait.

— Je sais, ces longues années n'ont pas été faciles pour toi, mais j'étais sans cesse avec toi en esprit. Dans ma vie précédente, je t'ai quitté prématurément pour rejoindre ma mère dans l'Au-delà. Il me fallait absolument la retrouver afin de préparer ma prochaine existence. Mais voilà, c'est terminé! Tu viens me rejoindre dans l'Autre Monde. Là-bas, le temps n'existe pas. J'ai l'impression d'être partie il y a à peine quelques secondes. Tu verras, tu seras bien Là-haut. Et, très bientôt, nous nous réincarnerons ensemble. J'ai tout planifié avec l'aide de ma mère et de mon futur père. Dans cette nouvelle vie, nous nous rencontrerons vers l'âge de vingt ans, et aucun obstacle ne nous empêchera de nous aimer. Nous nous reconnaîtrons instinctivement. Pour les âmes sœurs, un seul regard suffit. Ce sera merveilleux. Nous aurons alors toute une vie devant nous !

— Je suis si heureux de te retrouver ! Mais d'abord, je ne souhaite qu'une chose : me libérer de ce corps qui ne me convient plus. Si je suis délivré de ces atroces douleurs, alors oui, je crois que je serai bien Là-haut. En ta présence, ce sera le Paradis !

— Alors, n'attendons pas une seconde de plus. Allons-y !

Chapitre un

Quelques décennies plus tard, dans la nouvelle vie de Jade...

J'ai bien besoin de repos. Après avoir travaillé sans arrêt pendant plus de deux mois à fonder ma maison d'édition et à préparer la publication de mon premier livre, je devrais rester chez moi et en profiter pour dormir toute la fin de semaine. Mais mon petit doigt me dit que je dois absolument me rendre à Lac-Simon, où un grand rassemblement spirituel a lieu chaque année. Là-bas, des chamans enseignent les lois de la nature, en plus d'organiser des cérémonies de guérison.

Ma priorité devrait être de rester chez moi pour me reposer tout en profitant de la nature et de ce bel automne qui déploie ses riches couleurs, mais il semble bien que le Créateur ait d'autres plans pour moi. Des plans bien plus grands et plus importants que les miens.

***

C'est ainsi que, motivée par une intuition divine, je me retrouve sur l'autoroute en direction de l'Abitibi.

Comme je ne suis jamais allée sur la réserve amérindienne de Lac-Simon, j'ai pris soin, avant mon départ, de vérifier mon itinéraire qui m'a finalement paru assez simple. Me voici donc en route avec un sac de vêtements pour seul bagage. Pas même un sandwich. « Je ne fais qu'un aller-retour, je mangerai en chemin. Et s'il n'y a plus de lit pour moi sur la réserve amérindienne, je dormirai dans un hôtel, à Val-d'Or. »

Le ciel est bleu, le paysage automnal, flamboyant. J'augmente le volume de la radio, sourire aux lèvres. Une autre aventure débute. Qu'est-ce qui m'attend là-bas ?

Chaque fois que je me rends à un rassemblement des Premières Nations, j'obtiens immanquablement des réponses à mes prières peu de temps après. J'ai l'impression de vivre de petits miracles à chaque fois. Je suis toujours heureuse d'aller à ces rendez-vous annuels. Cela fait quelques années déjà que j'assiste à ces réunions où les sages nous instruisent sur les lois de la nature et de l'univers, pourtant, je continue d'être impressionnée, année après année, par la magie qui se dégage de leurs enseignements. Cette fois-ci, toutefois, je ressens quelque chose de particulièrement intense, comme une urgence de me rendre là-bas, comme si une révélation était à venir. Je ne sais pas exactement pourquoi j'ai cette forte intuition, mais je suis convaincue qu'il y a une bonne raison à ma visite à Lac-Simon. C'est certainement ce même pressentiment qui m'a incitée à partir, à envoyer valser mes doutes et ma fatigue.

Mon attirance pour ces rituels particuliers a donc commencé il y a des années. À l'époque, je cherchais des réponses à mes questions existentielles. Bien que, depuis ma naissance, j'aie été choyée, je me suis toujours demandé ce que j'étais venue faire sur cette Terre, quelle pouvait bien y être ma mission, si mission il y avait. Mon père, Lesly, a tenté à maintes reprises de me réconforter, me prédisant que j'allais un jour trouver un sens à ma vie. Il m'a même assuré récemment qu'il avait été mon guérisseur dans mon existence antérieure, ce qui lui permettait de comprendre mes doutes et mes questionnements. Malgré sa bonne volonté, ses paroles, aussi réconfortantes soient-elles, ne m'ont jamais suffi.

Il me fallait chercher plus loin, plus profondément. Quand je lui ai fait part de mes réflexions, il m'a encouragée à chercher mes réponses auprès des amérindiens. Il m'a expliqué que leurs enseignements me seraient profitables et que j'aurais avantage à poursuivre ma quête dans cette direction.

À la même époque, j'ai dû me rendre d'urgence dans un hôpital situé près d'une réserve amérindienne afin d'y passer des examens. J'étais en proie à des douleurs insupportables dans tout mon corps et les médecins m'ont appris que je souffrais d'une maladie incurable. Mon mal, même s'il se rapproche de la fibromyalgie par ses symptômes, est si peu connu de la science que les spécialistes n'ont pu lui attribuer de nom. Même mon père, un guérisseur fort reconnu, n'a pas été en mesure de trouver la cause de ma maladie. Bien que cette nouvelle ait été dévastatrice pour moi, j'ai promptement retrouvé mes esprits. En sortant de l'hôpital, j'ai croisé un homme dont les traits me rappelaient ceux d'un Amérindien. Une intuition m'est venue : je dois lui parler. Mais de quoi ?

« Monsieur, lui ai-je dit spontanément, connaissez-vous, par hasard, un chaman qui habite dans la région ? J'aurais besoin d'un guérisseur. »

Le miracle s'est produit. Il m'a donné les coordonnées du seul chaman des alentours. Il le connaissait bien et me recommandait ses services sans hésitation.

Je me suis aussitôt rendue chez cet homme nommé Oscar. Il m'a patiemment expliqué qu'il était un guérisseur des émotions et que toute maladie était, selon lui, la consé-quence d'une mauvaise gestion de celles-ci.

Quelle révélation !

Au fil des années, grâce à Oscar et à plusieurs autres chamans qui sont devenus mes amis, j'ai compris que c'est en moi qu'il fallait chercher la solution à mes problèmes. Ils m'ont enseigné par différentes techniques comment découvrir ma vraie nature et mes véritables aspirations afin d'accéder au plein épanouissement de mon âme, au rétablissement de mon être. Depuis, j'apprends sans cesse de nouvelles méthodes de guérison, ajoutant ainsi des cordes à mon arc. J'ai même commencé à enseigner certaines de ces méthodes aux gens de mon entourage, comme si ma vocation était de transmettre ces connaissances.

Ainsi perdue dans mes souvenirs, c'est à peine si je vois la station-service sur ma droite. Je la dépasse au moment même où le signal lumineux de la jauge d'essence s'allume sur le tableau de bord de mon automobile, m'indiquant qu'il est temps de m'arrêter pour faire le plein. J'ai l'idée de faire demi-tour, mais je me ravise en me rappelant la file d'attente au poste d'essence. « Bah ! Je m'arrêterai à la prochaine station, elle sera certainement moins achalandée. »

À ce moment, je n'ai encore aucune idée des conséquences extraordinaires qu'aura cette décision sur mon avenir. Seul le Créateur le sait...

Quatre-vingt-cinq kilomètres plus loin, alors que je dois m'arrêter à un feu rouge en raison de travaux de construction, je n'ai toujours pas croisé de nouvelle station-service.

Feu rouge. Je suis dans le rouge.

Il m'est arrivé souvent, parfois par inadvertance, parfois de plein gré, d'attendre au dernier moment pour faire le plein malgré le fait que la lumière orange de la jauge soit allumée. Un jour, j'ai ainsi testé ma voiture : je voulais savoir sur combien de kilomètres je pouvais encore la conduire avant de faire le plein. J'avais roulé cent kilomètres avant de m'arrêter à un poste d'essence. C'est le genre de défi que je me lance parfois, comme si les situations extrêmes m'exaltaient.

Mais aujourd'hui, sur une route presque déserte que je ne connais pas, la situation commence à m'inquiéter. « Pas de panique. En cas de problème, je peux toujours faire appel au service de dépannage routier. »

Immobilisée devant les travaux de construction, je décide de sortir de ma voiture et de me diriger vers celle qui me suit. Par la vitre baissée de ce véhicule, je me présente et explique aux deux femmes qui s'y trouvent la situation hasardeuse dans laquelle je suis.

— Il y a une station-service à environ dix kilomètres, répond gentiment la conductrice.

— Ouf! Merci, mon Dieu!

— Tu crois que tu vas t'y rendre ? demande la jeune femme.

— Je l'espère!

— On va te suivre, au cas où.

— Merci, c'est très gentil de votre part!

Quand le feu de circulation passe au vert, je monte dans mon véhicule. Une dizaine de kilomètres plus loin, une côte abrupte me fait la vie dure. La voiture commence à faiblir, à donner des coups. « Cher Créateur, faites que je me rende! »

Aux trois quarts de la côte, les soubresauts deviennent de plus en plus prononcés. Je me range sur le côté au moment où mon automobile tombe en panne sèche. La conductrice derrière moi m'imite. Nous sortons de voiture en même temps. Elle propose de me déposer au village non loin pour acheter de l'essence. Je décide plutôt de faire appel au service de dépannage routier. Au bout du fil, l'agent essaie tant bien que mal de se faire une idée de l'endroit où je me trouve, quand j'entends quelqu'un prononcer mon nom dans mon dos.

— Jade!

Je me retourne. Incroyable mais vrai : deux jeunes femmes et un homme me regardent, les yeux ronds.

— J'ai peine à y croire! m'exclamé-je. Mais que faites-vous là? Et comment avez-vous fait pour me reconnaître avec ce chapeau rose sur la tête, et de dos, en plus?

Dorothée, Francesca et Francis, des amis qui s'en vont assister, eux aussi, au rassemblement annuel, se trouvent juste devant moi.

— Tu as un problème mécanique ? s'enquiert Dorothée.

— Je suis en panne sèche !

— Pas de problème, on va aller chercher de l'essence au village.

— Quelle coïncidence ! Vous êtes des anges tombés du ciel ! Mais d'où arrivez-vous, au juste ?

— Du village.

— Le rassemblement est dans la direction d'où vous venez ?

— Mais non, pas du tout !

Je les regarde, médusée.

— Je suis passée tout droit ?

— Exact ! Le rassemblement n'a pas lieu sur la réserve, mais dans la direction opposée, à une vingtaine de kilomètres !

— Ça alors ! Heureusement que vous êtes là ! Je n'aurais jamais trouvé l'endroit toute seule avec la noirceur qui arrive à grands pas.

La conductrice de la voiture qui me suivait est ébahie :

— Ce sont des amis à toi ?

— Oui ! On se rend justement au même endroit !

— Quel hasard extraordinaire ! Tu es extrêmement chanceuse !

— À qui le dis-tu ! C'est toujours ainsi que ça se passe pour moi. J'ai un don inné pour me mettre les pieds dans les plats mais, malgré mes infortunes, je finis toujours par m'en sortir haut la main. Mes anges gardiens veillent bien sur moi !

Francis, l'un des trois anges gardiens en question, sort alors de l'automobile et offre de me tenir compagnie tandis que les deux autres font demi-tour en direction de Louvicourt, le village le plus près.

— Je n'arrive pas à y croire! s'exclame-t-il en se tordant de rire. Tu es bénie! Viens que je te serre dans mes bras.

Il s'approche et me fait une chaleureuse accolade tandis que je me mets à rire de la situation à mon tour :

— Le Créateur a toujours des idées tout à fait originales pour me sortir du pétrin! Je n'aurais jamais pu imaginer cette suite d'heureux hasards. Je suis habituée à recevoir son aide, mais à ce point! Je suis chaque fois plus étonnée!

Au bout d'une demi-heure à peine, Francesca et Dorothée sont de retour, bidon d'essence en main. Après avoir bu goulûment, ma voiture nous transporte, Francis et moi, vers le lieu du rassemblement. Nos deux amies nous suivent de près.

La première personne que nous croisons en arrivant sur le site est Léonardo, un mystérieux chaman que j'ai rencontré l'été dernier.

— Léo! Je suis si heureuse de te revoir! Comment vas-tu?

Je lui dis que je cherche un chalet dans lequel il y aurait un lit vacant.

— Suis-moi, il reste une place dans celui où je suis installé.

Après avoir remercié mes amis de leur précieux secours, je marche à la suite de Léonardo sur l'étroit sentier menant au chalet, camouflé parmi des arbres gigantesques.

Près de l'entrée du petit bâtiment de bois se trouve un homme. Quand je passe à ses côtés, il me sourit chaleureusement en fixant sur moi un regard de braise.

— Salut! Je suis Pierrot.

— Salut! Moi, c'est Jade.

Je suis immédiatement interpellée par ce chaud regard et cette voix à la fois grave et mielleuse, mais je n'en fais pas trop de cas. Mon esprit est ailleurs; il rêve d'un bon lit chaud. La longue route et les émotions des dernières heures m'ont complètement épuisée.

Léonardo et moi entrons dans le chalet. Les lieux sont modestes mais conviviaux. Dès que mon lit est prêt, je m'y étends. Je n'ai qu'une envie : dormir ! J'en suis toutefois incapable avant un bon moment, hantée par le souvenir de cet inconnu qui se tenait là, à l'entrée du chalet. Son visage me déroute, m'intrigue.

Je me rappelle également les paroles de Léonardo : « Ce soir, après le repas, a lieu une importante cérémonie dans la grande tente. Nous allumerons des chandelles pour faire venir non seulement les esprits de nos ancêtres autochtones, mais également ceux de nos ancêtres mayas. Nous sommes tous liés, comme tu le sais sans doute. D'ailleurs, Margarita, cette vieille chamane mexicaine tant convoitée que tu connais sûrement, sera des nôtres. C'est à ne pas manquer ! »

Je lui ai fait la promesse d'assister à la cérémonie.

***

Après une courte sieste, je me dirige vers la grande tente et fais une entrée solennelle en saluant chacune des personnes qui s'y trouvent. De nombreux chamans sont rassemblés, dont Omer, mon père spirituel. Je m'arrête devant lui et l'étreins longuement.

— Tu n'étais pas en panne quelque part dans le parc, toi ? me lance-t-il, fidèle à lui-même.

Je pouffe de rire.

— Je vois que les nouvelles se répandent comme une trainée de poudre, ici ! J'ai rencontré trois anges gardiens dans le parc. Heureusement qu'ils passaient par là ! Sans leur aide, je n'aurais jamais pu assister à cette cérémonie.

— Rien ne peut t'arriver, tu es protégée.

Je lui souris. Ses paroles me rassurent.

Je poursuis mes salutations jusqu'à ce que j'aie fait le tour complet des occupants de la grande tente. Je choisis avec soin ma place, près du gardien de la porte. Après avoir disposé ma couverture sur le sol, je m'assieds. Je suis à peine installée que grand-mère Margarita prend la parole.

— Bonsoir tout le monde. Votre présence me fait chaud au cœur. Ce soir, nous allons allumer des chandelles pour faire venir à nous les esprits de nos ancêtres. Ils sont déjà nombreux, je les sens tout autour.

Des hommes et des femmes se lèvent et distribuent des chandelles à ceux qui n'en ont pas.

— Vous savez, mon mari me manque beaucoup. Il me manque tous les jours depuis son départ vers l'Au-delà. Mais ce soir, il est parmi nous, avec tous les ancêtres qui sont passés dans l'Autre Monde. Si vous avez perdu quelqu'un de cher, c'est le moment idéal pour l'appeler. Il vous répondra.

Je pense à mes proches disparus dernièrement, à ma grand-mère Célestine, surtout. Je suis émue. Dès que j'allume ma bougie, je sens son énergie et son amour, comme par enchantement. Tout au long de la cérémonie, de puissantes vibrations me traversent. La guérison de ma blessure, celle causée par le départ de Célestine, est enclenchée.

Ce soir-là, avant de sortir de la grande tente, je m'arrête devant le feu sacré, tout au centre. Je serre contre mon cœur une bonne poignée de tabac. Les chamans disent que lorsqu'on exécute ce geste, les chances que notre prière soit entendue et exaucée sont multipliées. « Créateur, je ne sais pourquoi tu m'as poussée à venir jusqu'ici aujourd'hui. Je ne sais ce que tu attends de moi au cours de cette fin de semaine. Éclaire-moi. Quels sont les désirs chers à mon cœur que j'ai oubliés ? Que suis-je censée comprendre ou accomplir sur cette Terre ? » Je jette le tabac dans le feu en remerciant d'avance le Créateur pour sa réponse à ma prière, puis je sors.

Près du chalet dans lequel je loge, un autre feu sacré répand sa lumière sous un ciel noir étoilé. De nombreuses femmes discutent à la lueur des flammes. Je m'assieds sur le seul siège encore disponible. D'une oreille distraite, j'écoute leurs discussions tout en me demandant si je suis auprès d'elles pour une raison particulière, si elles ont quelque chose à m'apprendre.

Pourquoi suis-je venue m'asseoir ici alors que je préfèrerais être auprès des aînés? J'ai tant besoin de réconfort ce soir, tant besoin d'entendre parler un sage, de me bercer de ses paroles…

La solitude me pèse depuis quelques mois, depuis le déménagement de mes parents, en fait. Ils sont partis vivre en Californie. Évidemment, ils ont emmené mon petit frère. Il n'a que douze ans, après tout.

J'aurais peut-être dû les suivre, en fin de compte. Au lieu de cela, je travaille sans arrêt, seule dans ma maison au cœur de la forêt mauricienne.

Je m'inquiète pour ma mère, surtout. Il y a un an, elle a commencé à avoir une faiblesse au cœur. Mon père, un guérisseur fort reconnu, lui a octroyé des soins et lui a suggéré de s'établir sous un climat chaud, au bord de l'océan, afin de faciliter son rétablissement. Ils ont finalement opté pour la Californie. Puisque cette région est située dans le pays voisin, ils ont cru qu'il serait aisé de faire l'aller-retour en avion pour me visiter.

Comme ils me manquent soudainement! J'aimerais être auprès d'eux. Et comme je les envie de vivre au bord de la mer!

Perdue dans mes pensées, je vois à peine les femmes près de moi, autour du feu. Certaines sont arrivées depuis plusieurs jours et se trouvent en plein travail de guérison. Les chamans sont sans cesse convoités pour l'organisation de cérémonies dans le but d'aider les gens souffrants. Dans la plupart des cas, il s'agit de troubles physiques, comme la paralysie, le diabète, des problèmes aux poumons ou au cœur. Mais il arrive que les guérisseurs aient affaire à des maladies plus complexes, comme la schizophrénie, la psychose ou encore l'épilepsie. Il en résulte des échanges parfois brusques, car les gens deviennent extrêmement sensibles quand ils sont impliqués dans un processus de guérison. Voilà pourquoi je ne me sens pas toujours à l'aise avec les gens que je rencontre au cours d'un rassemblement. C'est particulièrement le cas ce soir.

Tard dans la soirée, alors que les dames quittent peu à peu le cercle sacré pour rejoindre leur chalet, je me laisse hypnotiser par les flammes. Mon esprit vogue librement dans les Hautes Sphères de l'univers. Soudain, tout s'éclaire en moi. Je sors de mon sac une bonne quantité de tabac, je serre le poing et le porte à mon cœur. « Je sais, Créateur, ce dont j'ai besoin ! Je le sais, maintenant ! »

Les flammes me répondent en agitant avec ardeur leurs couleurs.

« Je suis ici pour te demander, Créateur, de me présenter celui que j'attends depuis toujours, depuis ma naissance. L'homme qui m'accompagnera et sera mon complice, qui saura m'écouter et me comprendre, me réconforter quand j'en aurai besoin. Je me sens si seule, c'est un vrai supplice ! Je n'en peux plus d'errer à la recherche de celui qui me fera vibrer. Je veux rencontrer celui qui m'est destiné, mon prince charmant, rien de moins ! »

Bien que le Créateur ait toujours répondu favorablement à mes demandes — l'attente est parfois plus longue que je ne le voudrais —, il arrive encore régulièrement que le doute s'installe en moi. Cette fois-ci, mon scepticisme prend beaucoup de place. Je sais bien que le doute a sa raison d'être. Il y a longtemps, un sage m'avait prévenue qu'il fallait douter du doute.

C'est pourquoi, quand celui-ci apparaît, nous devons redoubler de foi et d'espoir. Il ne faut surtout pas lui donner raison. Alors voilà, même si je suis dans l'incertitude, je sais que je finirai par le rencontrer, ce prince! Mais quand, et comment?

Une image se forme dans mon esprit, une vision. Les traits d'un visage. Ils sont flous, comme une apparition furtive. Puis la couleur jaune m'apparaît. Une robe…

Je lève les yeux au ciel. Les étoiles brillent par milliers. L'une d'entre elles se démarque; je m'amuse à penser que c'est mon étoile, qu'elle veille sur moi et m'écoute à la manière d'une sœur complice, qu'elle concocte des plans pour m'aider à réaliser mon désir secret.

Je rentre finalement à mon chalet, me couche et m'endors doucement, bercée par des voix lointaines. Comme chaque fois que je me trouve sur les lieux d'un rassemblement, je fais un rêve particulier. Cette fois, je me tiens devant le feu sacré, j'entends des voix et le son des tambours. Je suis vêtue d'une superbe robe et un homme se tient à mes côtés. Nous attendons, sereins, en nous tenant par le bras; je me tourne vers mon compagnon et l'admire : il semble tout droit sorti de l'époque des Mayas, arborant fièrement un costume princier.

**

Au petit matin, je m'éveille doucement, le sourire aux lèvres. Ce songe, si vivant, me laisse émerveillée et remplie d'espoir.

J'ai à peine les yeux ouverts quand j'aperçois une silhouette derrière la porte entrebâillée du chalet. Curieuse, je fixe l'inconnu qui entre et s'avance vers le poêle, à quelques pas de mon lit. Lorsqu'il enlève son chapeau, je le reconnais immédiatement.

— Quelqu'un veut une rôtie ? demande-t-il en déposant une tranche de pain sur l'un des ronds du poêle.

— Moi, j'en veux, fait une voix ensommeillée à l'autre extrémité du chalet.

— Et toi, tu en veux ? questionne l'homme en plongeant ses yeux dans les miens.

Ce regard ardent. D'un bleu profond. Bleu océan.

— Je veux bien.

Tout en étalant les tranches de pain, il ne cesse de me regarder.

— Moi, c'est Pierrot, tu te rappelles ?

— Bien sûr ! Et moi, c'est Jade.

— Je sais.

Quelque chose remue en moi. « Quel bel homme ! me dis-je. Charmant, en plus ! Comment ai-je pu oublier sa présence en ces lieux ? Et cette voix… La plus belle que j'aie entendue. »

— Je suis enchanté de faire plus ample connaissance avec toi, chère Jade !

Il se penche, s'empare de ma main droite et y dépose un tendre baiser.

Chapitre deux

Après un repas animé au cours duquel Pierrot et moi ne cessons de nous raconter nos vies, nous déshabillant littéralement du regard, nous nettoyons et rangeons la vaisselle. Puis je le vois faire ses bagages. J'en déduis qu'il est sur le point de partir. Soudainement, je veux tout savoir de lui.

— Tu habites où ? lui demandé-je.

— À quelques heures de route, répond-il en fixant ses beaux yeux sur moi. Près d'un village que l'on nomme La Conception, dans les Hautes-Laurentides. Tu connais ?

— Si je connais ? Quelle coïncidence ! Je prévois me rendre cet après-midi même tout juste à côté de ce village. Je souhaite dormir à l'hôtel où j'ai séjourné avec ma grand-mère vers la fin de son existence.

Je souris en me remémorant une scène de la veille. Sur la route vers Lac-Simon, j'étais à l'affût, car il y avait fort longtemps que je m'étais rendue dans cette région, et ma mémoire me faisait quelque peu défaut. Je cherchais un point de repère pour identifier clairement la sortie à prendre pour me rendre à cet hôtel après mon séjour. J'avais alors aperçu une enseigne pour La Conception. « C'est cette sortie que je devrai prendre, m'étais-je dit. Je dois me rappeler le nom de ce village. » Tout en poursuivant ma route vers Lac-Simon, je me répétais souvent ce nom : « La Conception, je dois m'en souvenir ! La Conception. »

Pierrot s'assoit devant moi, comme s'il voulait me faire des confidences. Ses beaux yeux bleus brillent. Je lui raconte l'anecdote de la veille concernant l'enseigne de La Conception.

— Puisque tu dois te rendre dans mon coin de pays, tu pourrais t'arrêter chez moi, propose-t-il le plus calmement du monde.

Je lui réponds par un sourire révélateur.

— Je te laisse mes coordonnées, dit-il. Tu seras la bienvenue si le cœur t'en dit !

***

Je suis de retour dans la grande tente pour la dernière cérémonie de la saison. Il me faudra ensuite attendre l'été prochain pour revoir tous ces gens que j'aime. Cette grande famille d'âmes m'a apporté tant de bienfaits au cours des dernières années ; il me tarde toujours de les revoir, et l'hiver me paraît parfois très long. C'est pourtant le cœur serein que je commence à faire mes au revoir.

Plusieurs sont étonnés.

— Tu nous quittes ? Pourquoi ne restes-tu pas jusqu'à demain ?

— J'ai besoin de confort, de la chaleur d'un lit douillet.

— Reste avec nous !

Je ne leur dis pas que je n'ai qu'une idée en tête, revoir Pierrot, que lui et moi nous sommes donné rendez-vous. Mais avec le jour qui passe, ma fatigue s'intensifie. Je finis par me laisser convaincre ; je dormirai encore au chalet ce soir et partirai demain.

Je me rends à ma voiture pour y prendre mon cellulaire. Je souhaite informer Pierrot de ma décision de rester jusqu'au lendemain. Malheureusement, mon téléphone ne perçoit aucun signal. « Dommage. Peut-être va-t-il croire que je l'ai oublié ou que je ne souhaite pas le revoir. En plus, j'aurai peut-être changé d'idée d'ici demain. Je me connais ; quand je remets au lendemain, il m'arrive souvent de modifier mes plans. Cela serait vraiment désolant, car cet homme m'attire. Son aura est particulière. »

***

Ce soir-là, assise près du feu, je consulte les étoiles et me réfugie dans mes pensées. Je trouve la soirée longue. Mon esprit est habité par cet homme charmant que j'ai rencontré par hasard la veille. Puis mes pensées vont à ma compagnie et je commence à parler au Créateur. On dirait presque que je m'invente des prières : « Créateur, j'aimerais recevoir de l'aide pour l'expansion de ma maison d'édition. Il est souvent lourd de gérer seule une entreprise de cette envergure. »

C'est alors que Léonardo apparaît au loin. Dès qu'il me voit, il se dirige vers moi et s'assoit à mes côtés.

— Je t'ai observé depuis ce matin et je trouve que tu n'as pas bonne mine, ma chère, me confie-t-il sincèrement.

— Ah oui ? C'est évident à ce point ?

— Tout à fait. Je ne sais pas ce qui t'accapare, mais une chose est certaine, tu as besoin d'aide et je vais t'aider ! Qu'est-ce qui se passe dans ta vie pour que tu sois si préoccupée ?

Je lui parle du déménagement de ma famille, de ma solitude, de la fondation de ma maison d'édition, de l'organisation du lancement de mon premier livre à paraître et de tout le travail que cela implique. Après m'avoir longuement écoutée, il me propose son aide pour l'expansion de ma compagnie.

Voilà une réponse rapide à ma prière !

Nous passons le reste de la soirée à parler affaires, et il me promet d'organiser une rencontre afin de mettre en action le plan que nous venons d'élaborer.

Chapitre trois

Le lendemain, après avoir à nouveau dit au revoir à tout le monde, je m'élance sur la route en direction de La Conception. La sempiternelle ronde de questions se met en branle : « Devrais-je rendre visite à Pierrot ? C'est intimidant, on se connaît si peu... Attend-il seulement mon appel ? Souhaite-t-il toujours me voir ? Peut-être m'a-t-il oubliée ? Moi, je meurs d'envie de le revoir, de le connaître... Mais je ne sais même pas pourquoi cet homme m'attire autant ! Notre rencontre a été si brève... Et puis, j'ai le goût de me retrouver dans ma chambre d'hôtel, au chaud. »

Depuis mon réveil, je me sens faible. J'ai eu chaud toute la nuit à cause du poêle et maintenant, je frissonne sans arrêt. Dehors, le sol est recouvert de neige. Les premiers flocons de la saison.

Je décide finalement de me rendre directement à l'hôtel. Après une bonne douche et une tisane réconfortante, j'appellerai Pierrot. Je serai en mesure de voir plus clair.

***

Dès que j'entre dans ma chambre d'hôtel, je sens plus que jamais l'énergie de ma grand-mère Célestine. Les souvenirs me submergent. Je nous revois toutes les trois, elle, ma mère et moi, buvant le thé sur la terrasse ensoleillée. Je revois aussi Lesly, mon père, un peu à l'écart avec sa boule de cristal.

— Jade, avait-il murmuré en contemplant son objet sacré, dans ta vie précédente, tu souhaitais m'avoir comme père. Ton souhait s'est réalisé. Tu as un don particulier pour matérialiser tes rêves. Je suis ton père dans cette vie-ci pour te rappeler la mission que tu dois compléter. Cette mission est très importante. Ce que tu n'as pas eu le temps de faire dans ta dernière vie, tu devras l'accomplir dans les années à venir. Tu devras écouter attentivement ce que j'aurai à te dire, et ce en temps opportun. J'aurai des enseignements à te transmettre.

— J'ai déjà hâte de remplir ma mission !

— Il faudra que tu sois patiente, car le moment n'est pas encore venu. Ce que je peux te dire pour l'instant, c'est que tu as travaillé fort dans ta précédente vie pour obtenir ce que tu as dans celle-ci. Il y a eu de nombreux obstacles, mais tu les as surmontés avec courage.

C'était il y a un peu plus de deux ans. Je poursuivais alors mes études universitaires. Lesly était convaincu depuis mon jeune âge que je devais étudier en littérature pour être en mesure de transcrire les enseignements qu'il allait plus tard me divulguer. Mue par une intuition divine, j'avais suivi ses conseils. À la fin de mes études, il avait accepté de financer mon projet de fonder une maison d'édition, ce qui allait me permettre de réaliser ma mission.

Un peu plus tard, Lesly m'avait confié : « Jade, il sera parfois difficile pour toi de gérer seule une compagnie. Tu devras faire confiance à l'univers, qui pourvoira à tes besoins et t'octroiera l'aide nécessaire au moment voulu. Mais il te faudra une foi absolue. C'est grâce à cette foi que tu obtiendras tout ce dont tu auras besoin. Ainsi fonctionnent les lois Célestes. Demander, croire, recevoir. Voilà ton premier enseignement dans cette vie. Je mets ta confiance à l'épreuve. »

Je connais le pouvoir du Créateur pour avoir, au fil des années, discuté intimement avec lui tout en intégrant les enseignements amérindiens. Malgré mes doutes, je sais que le Créateur ne m'abandonnera jamais, même dans l'adversité. Il me l'a prouvé à maintes occasions, notamment lorsque j'ai appris que je souffrais d'une grave maladie. Ce jour-là, en sortant de l'hôpital, j'avais demandé un guérisseur et je l'avais trouvé. Depuis, ma santé s'est considérablement améliorée, bien que je sois encore fragile. Je me fatigue si facilement...

Aujourd'hui encore, le Créateur est à mes côtés. Malgré ma grande lassitude des derniers jours, j'ai eu assez d'énergie pour faire le trajet jusqu'à Lac-Simon. Et voilà que Léonardo m'offrait son assistance pour l'expansion de ma compagnie. Mon père a raison : tout ce dont j'ai besoin, je l'obtiens en temps opportun.

« Et ce Pierrot, je suis intriguée... Il me faut le revoir. On ne s'est pas rencontrés pour rien. »

Je lui passe un coup de fil et l'invite à me rendre visite à l'hôtel. Il accepte sans se faire prier. Dès qu'il entre dans la chambre, je lui explique que l'énergie de ma défunte grand-mère y est très présente.

— Il y a longtemps qu'elle a quitté ce monde ?

— Deux ans.

— Et il t'arrive souvent de ressentir son énergie ?

— Presque tous les jours.

Je m'adresse intérieurement à ma grand-mère pour la prier de bénir cette rencontre. « Je ne veux pas d'une histoire banale, Célestine, encore moins d'une histoire d'un soir. Ce genre de choses ne m'intéresse pas. J'espère que cet homme en vaut la peine. Peut-être est-ce lui que j'attends depuis toujours ? Si tel est le cas, protège-nous, grand-mère. »

J'invite Pierrot à s'asseoir près de moi, sur l'un des fauteuils.

— Ma grand-mère avait du sang amérindien, lui dis-je.

— Ah oui ? Ma mère aussi en a. Ce doit être pour cette raison que toi et moi sommes attirés par les enseignements des Premières Nations.

— Probablement. En ce qui me concerne, j'ai été initiée aux rituels à un très jeune âge, grâce à mes parents.

— Moi aussi. Cela fait plusieurs années que je côtoie des chamans.

Je lui raconte le questionnement qui m'a habitée avant d'aller à Lac-Simon et les péripéties qui ont suivi. Après m'avoir écouté attentivement, Pierrot me sourit.

— C'est fabuleux, cette histoire ! Si tu n'avais pas eu cette panne sèche, je ne t'aurais pas rencontrée.

Je le regarde, surprise.

— Ah oui ? Et pourquoi donc ?

— D'abord, la panne d'essence t'a permis de croiser sur ta route des amis qui t'ont par la suite guidée jusqu'au lieu du rassemblement. Sans leur aide, tu n'aurais probablement jamais trouvé l'endroit. Ensuite, toujours à cause de ta panne, tu es entrée sur le site plus tard que prévu. Si tu étais arrivée plus tôt, je ne t'aurais pas aperçue, car je gardais le feu dans la grande tente. Quand nous nous sommes croisés la première fois, je venais tout juste d'en sortir pour me diriger vers mon chalet. Je m'apprêtais à faire mes bagages et à partir. Lorsque j'ai appris que tu allais dormir dans le même chalet que moi, je suis resté jusqu'au lendemain dans le but de te revoir. Tu m'as envoûté dès le premier regard, ma chère.

— Vraiment ? Eh bien, dis donc ! Si ma panne sèche a permis notre rencontre, j'en suis bien heureuse !

Au terme d'une soirée remplie d'anecdotes plus savoureuses les unes que les autres, je suis déjà attachée à la présence de Pierrot. Je n'ai pas envie qu'il parte. Je prends le risque de l'inviter à dormir auprès de moi pour veiller sur mon sommeil. Il est charmé par cette proposition qu'il accepte sur-le-champ.

— Tu me fais vraiment plaisir, avoue-t-il. J'espérais tant dormir auprès de toi... Mais je n'osais pas te le demander, de peur de te brusquer.

— Tu es toujours ainsi, avenant, plein de bonnes manières ?

— Toujours... ou presque.

Comme je me sens faible et que j'ai l'impression de couvrir un virus, je lui demande d'appliquer dans mon dos un onguent décongestionnant. Au contact de ses mains, je suis enchantée. Une profonde paix s'installe en moi. Je me laisse bercer par les vagues de douceur qui emplissent mon être.

À la fin d'un long massage sensationnel, alors que je suis entre veille et sommeil, j'entends une voix, comme dans un songe :

— Bonne nuit, princesse.

— Bonne nuit, bel homme.

Et je plonge dans les bras de Morphée, aux côtés de ce mystérieux prince...

Chapitre quatre

Saint-Mathieu-du-Parc

Pierrot et moi devenons rapidement inséparables. Il me suit partout dans mes déplacements. Des jours heureux s'écoulent.

Puisqu'il possède une petite entreprise d'aménagement paysager, il est libre pendant tout l'automne et tout l'hiver. Il m'aide dans mes tâches journalières, ce qui diminue grandement ma charge de travail.

Nous sommes à ma résidence depuis quelques jours, filant le parfait bonheur. Le lancement de mon livre approche à grands pas et je dois veiller à de nombreux préparatifs, notamment dénicher une robe et une voiture. J'aimerais être invitée à monter à bord d'un véhicule féérique pour me rendre à mon bal, celui que j'ai planifié à l'occasion de la sortie de mon livre. Puisque qu'il s'agit de ma toute première publication et que c'est un événement très important pour moi, j'ai eu l'idée de faire les choses en grand et d'organiser une véritable soirée de gala.

— Mon prince, quel genre de véhicule devrais-je louer pour me rendre à cette soirée ?

— Une Ferrari !

— Une Ferrari ? Et que dirais-tu d'une Cadillac blanche ? Ou rouge ? Oui, rouge ! C'est la couleur de la passion !

— Ne devrais-tu pas en parler à ton père ? Il possède des voitures de collection. Il doit bien y en avoir une qui ferait l'affaire ?

— Mais elles sont toutes en Californie maintenant! Et le lancement est dans moins de deux semaines.

— Peut-être connaît-il des collectionneurs dans la région?

— Bonne idée, je vais m'informer! Mais d'abord, je dois dénicher une robe. Tu viens avec moi faire la tournée des magasins?

— À Montréal?

— Évidemment. Nous serons de retour ce soir.

Quelques heures plus tard, nous défilons dans les rues du centre-ville de la métropole à la recherche de la robe de mes rêves. Nous nous arrêtons bientôt devant la vitrine d'une nouvelle boutique pour petites tailles, rue de la Montagne. La seule boutique de ce genre au centre-ville.

Dès que j'aperçois les robes dans la vitrine, j'ai une impression de déjà-vu. Je me sens aussitôt attirée vers l'arrière du magasin. Pierrot me suit.

— Cette boutique vient juste d'ouvrir, pourtant, j'ai l'impression d'y être entrée auparavant.

— Peut-être dans une vie antérieure? lance à la blague Pierrot, amusé.

— Peut-être. C'est vraiment étrange…

C'est à ce moment que je la vois, dans toute sa splendeur, sa luminosité.

Une robe jaune. À crinoline.

Je me rends à la cabine d'essayage suivie de Pierrot. Quand j'en sors, je vois son visage ravi.

— Wow! Jade, tu es… Je manque de mots pour te décrire. Tu es tout à fait resplendissante! Une vraie princesse!

— C'est vrai?

Je valse autour de lui.

— C'est celle-là, n'est-ce pas?

— Sans aucun doute! affirme-t-il.

— Enfin, j'ai trouvé la robe ! Il ne manque que la voiture qui va nous emmener au bal !

Pierrot m'enlace. Je flotte littéralement. Puis je me remets à valser autour de lui. Lorsque je lui fais face à nouveau, je suis fascinée : il s'est littéralement transformé en prince. Un vrai prince. Ses vêtements, ses cheveux…

— Jade, tu vas bien ? s'enquiert Pierrot.

Je suis incapable d'émettre le moindre son.

— Jade, mais qu'est-ce qui se passe ? Tu me sembles soudain très lointaine.

— Euh… C'est que tu t'es soudainement transformé en prince. Regarde-toi dans la glace, tu verras ce que je veux dire.

Pierrot s'avance vers le miroir. Je le suis de près et en profite pour admirer son costume.

— Mais je suis comme d'habitude, murmure-t-il. Tu es certaine que tu te portes bien, ma chérie ?

— Peut-être est-ce une hallucination ?

— C'est une hallucination, effectivement. Je…

Il s'arrête brusquement de parler, l'air perplexe.

— Jade, approche.

— Qu'est-ce qui se passe ?

Je me place à ses côtés devant le miroir et scrute son reflet. Ses traits sont plus prononcés, ses cheveux, plus longs, ses vêtements, plus amples, semblables à ceux d'un prince maya. J'ai l'impression d'être en plein conte de fées ! Je lance :

— Tu vois ce que je veux dire ?

— Hum ! C'est vraiment étrange, balbutie-t-il. Peut-être sommes-nous un peu fatigués ?

Confuse, j'observe Pierrot dans toute sa magnificence.

— Il ne peut pas s'agir de fatigue, nous avons tous les deux la même vision. Je n'y comprends rien !

Pierrot aussi m'observe d'un œil intrigué.

— Nous sommes peut-être dans une vie antérieure ? Ou peut-être avons-nous été projetés dans un univers parallèle ?

— C'est peut-être la robe jaune qui fait ça. Je vais l'enlever pour voir.

Au moment où j'entre dans la cabine, Pierrot prend ma main et m'attire à lui.

— Non, ne fais pas ça ! Garde-là, je t'en prie ! Je ne veux pas que la magie s'arrête. Tu es si belle !

— Tu crois que cette robe a un pouvoir quelconque ?

— Peut-être.

— Le pouvoir de nous propulser dans des mondes parallèles ?

— Achète cette robe ! On verra bien ce qui se produira.

Chapitre cinq

La circulation est fluide lorsque nous quittons le centre-ville. Le soleil brille de mille feux. Quand nous entrons dans la forêt de Saint-Mathieu-du-Parc, le jour commence à décliner. Le ciel, d'un rouge flamboyant, est à couper le souffle.

Je roule lentement dans l'allée qui mène à ma résidence. Tout semble être au ralenti.

— Tu as de la visite, m'informe Pierrot. Regarde la décapotable rouge, tout en haut. Wow ! C'est une Cadillac !

— Ça alors ! Mais qui peut bien me rendre visite ? Habituellement, les visiteurs s'annoncent.

Intriguée, j'arrête le moteur de mon automobile et en sors lentement tout en fixant la Cadillac. Pierrot, lui, a l'air d'un gamin. Il s'élance et fait le tour du magnifique cabriolet.

— Une Cadillac décapotable, édition spéciale. Quel bijou !

Il se penche, tente de voir à travers la vitre teintée. Il fait encore plusieurs fois le tour de la voiture.

— Je monte sur la terrasse, Pierrot. Le propriétaire de cette Cadillac doit nous y attendre calmement. Ou impatiemment. Je reviens tout de suite.

— Pas la peine. Je crois qu'elle t'est destinée.

— Quoi ? Mais qu'est-ce qui te fait croire ça ?

— Viens voir.

Je me penche pour regarder à l'intérieur.

— Regarde ce qu'il y a sur le volant, murmure Pierrot.

— Un chou rouge !

— Eh oui! Cette superbe Cadillac, c'est un cadeau pour toi! Prends place, ma dulcinée. La clé est sur le contact.

— Tu rigoles?

— Pas du tout. Si tu ne t'assois pas sur ce superbe siège, c'est moi qui le ferai!

Subjuguée, j'ouvre la portière et, après avoir admiré l'intérieur, je prends place. Le siège ergonomique, hyper confortable, est parfaitement ajusté à ma taille; il suit les courbes de mon corps. Je fais signe à mon amoureux de s'installer à la place du passager, ce qu'il fait en un rien de temps.

— Comment puis-je être certaine que cette voiture m'est destinée? Et qui peut bien me l'offrir si tel est le cas?

— Il doit y avoir un indice quelque part, une carte, une note, je ne sais pas. Voyons dans le coffre à gants.

Il ouvre le coffre, qui s'avère gigantesque, mais vide.

— Tu pourrais au moins faire démarrer le moteur, supplie Pierrot. J'aimerais entendre le son qu'il fait.

Quand je dépose mes doigts sur la clé, un courant électrique traverse tout l'intérieur de mon bras. Au démarrage du moteur, un bruit sourd retentit.

— Wow! Quelle musique agréable!

Le tableau de bord s'illumine. Une pièce instrumentale s'élève en même temps qu'une voix lointaine : « Bienvenue à bord, Jade. » C'est la voix de mon père! Je me tourne vers Pierrot, abasourdie. Lui aussi est surpris d'entendre parler Lesly. « Et félicitations pour la sortie de ton livre! »

Nous pouffons tous les deux de rire.

— Je me doutais un peu que cette voiture venait de ton père! Il m'avait glissé quelques mots à ce propos, au téléphone.

— Alors tu étais au courant?

— Non! Je veux dire, oui, il m'avait parlé d'une voiture qu'il voulait mettre à ta disposition pour ton lancement, mais je pensais qu'il t'en prêterait une de sa collection. Franchement, je n'aurais jamais cru qu'il s'agirait d'une Cadillac édition spéciale, et encore moins qu'il te l'offrirait en cadeau ! Je n'en ai jamais vu une aussi belle !

Mon regard s'attarde sur le tableau de bord, les sièges, les accessoires.

— Wow ! Quelle œuvre d'art !

La musique continue de m'hypnotiser, à un point tel que j'ai l'impression que des ailes me poussent sur le dos, comme si j'étais doucement transportée vers un autre monde, une autre dimension.

Une seconde voix se fait entendre, plus lointaine encore que la première ; c'est celle de ma mère. Elle semble provenir du son même des instruments de musique :

« Bienvenue à bord, ma chère Jade. Tu peux dès à présent partir à l'aventure. Tu n'as qu'à penser au lieu où tu désires te rendre et cette adorable Cadillac t'y emmènera. Lesly et moi profitons d'ailleurs de cette occasion pour vous inviter, Pierrot et toi, à nous visiter à notre résidence. »

Je me tourne vers Pierrot. Il me paraît être en transe. Nous avons la même idée :

— La Californie ! nous exclamons-nous en chœur.

J'attache ma ceinture, pose les deux mains sur le volant. Nous commençons à rouler. Les sapins disparaissent peu à peu pour laisser place à des arbres exotiques. Soudainement, des centaines de palmiers nous entourent sur une route désertique où soleil et chaleur sont au rendez-vous.

Nous voilà catapultés dans un autre environnement en l'espace de quelques secondes.

Chapitre six

Désert de l'Arizona

— Dis-moi, Jade, qu'est-ce qui nous arrive ?

— Hum, je me doute de quelque chose, mais je ne sais pas encore clairement ce que c'est. Tout se passe si rapidement !

— Est-ce ta robe ou ta Cadillac qui a des pouvoirs magiques ?

Je réfléchis à la question tandis que Pierrot me regarde, un peu perdu.

— Je crois que nous aurons bientôt la réponse.

Soudain, le décor change. Nous sommes au cœur d'une banlieue vraisemblablement californienne. Nous longeons la mer.

— Et ça, c'est quoi ? fait Pierrot, de plus en plus émerveillé.

— Eh bien, crois-le ou non, c'est la banlieue de Santa Barbara ! Regarde, il y a une enseigne là-bas. Mes parents habitent tout près d'ici.

Pierrot éclate d'un rire homérique.

— Il y a une minute à peine, nous nous trouvions en plein désert et nous voilà maintenant à Santa Barbara, près de la résidence de tes parents. Tu comprends ce qui se passe, toi ? Éclaire-moi, car je suis tout à fait confus !

Il rit de plus belle.

—Non mais, quel est le truc ? On est en plein tournage cinématographique, c'est ça ? Dans la seconde qui suit, nous allons nous retrouver sur Hollywood Boulevard ?

Je garde le silence, retenant un fou rire. Je n'ai aucune idée de ce qui se passe, mais je trouve la situation époustouflante. Digne d'un film d'Hollywood, justement.

Au moment même où je me fais cette réflexion, nous roulons sur une route bordée d'un trottoir sur lequel sont alignées, à perte de vue, des étoiles. Je me tourne vers Pierrot, qui s'écrie aussitôt :

— Ah! Ah! Qu'est-ce que je te disais? Nous avons été catapultés sur Hollywood Boulevard en seulement quelques secondes. Il se passe ici des choses vraiment étranges, ma chère princesse, ne trouves-tu pas?

J'aperçois un parc sur ma droite. Je prends cette direction et voilà que nous roulons à proximité d'arbres majestueux.

— Je crois que je commence à comprendre, Pierrot. Il suffit de nous concentrer sur la destination où nous souhaitons nous rendre et...

Après avoir garé la voiture, je prends mon sac à main, l'ouvre et cherche la photo de la maison familiale. Dès que je la tiens entre mes mains, je la fixe intensément. L'instant d'après, nous avançons sur Palm Street, une rue bordée d'arbres aux fleurs exotiques. Un parfum d'océan nous enveloppe. La mer, bleue à souhait, nous côtoie.

Je ralentis devant le huit, Palm Street, m'engage dans l'allée et m'arrête près de l'entrée principale de la résidence. Je me tourne vers Pierrot.

— OK. Et nous sommes? questionne-t-il.

— Chez mes parents !

Lentement et solennellement, comme si tout était normal, il descend de la voiture, la contourne et, avec les manières d'un gentleman, ouvre la portière et me présente sa main. Il m'aide à sortir de la Cadillac et me conduit galamment jusqu'à l'entrée principale de la maison.

Chapitre sept

Le huit, Palm Street

— Faut-il sonner avant d'entrer ? s'enquiert Pierrot, comme si c'était une question d'état.

— Pas besoin. Ici, c'est aussi chez nous.

J'ouvre la porte et entre. Pierrot me suit de près.

— Bonjour ! lancé-je gaiement.

Le silence me fait écho.

— Ils doivent être sur la terrasse, à l'arrière. Viens !

Nous traversons le hall d'entrée, la salle à manger, puis parvenons à l'arrière de la maison dans un salon complètement vitré. La mer turquoise nous fait face dans toute son immensité.

J'aperçois ma mère et mon père assis côte à côte sur la plage, devant le coucher du soleil. Un tableau merveilleux.

— Allons les rejoindre !

Nous avançons doucement, sans faire de bruit, mais Lesly a déjà le regard tourné vers nous.

— Jade !

— Ma fille chérie ! s'exclame ma mère.

S'ensuit une longue série d'accolades et les présentations d'usage.

— Vous avez fait bonne route ? me demande ma mère.

— C'était euphorisant, tous ces paysages !

— Tout simplement magique ! ajoute fièrement Pierrot, qui ne s'est pas encore remis de ses émotions.

— Jordan n'est pas avec vous ? demandé-je.

— Ton frère est à son cours de piano, répond ma mère. Il dort chez un ami ce soir.

— Comment va-t-il ?

— Très bien. Du haut de ses douze ans, il ressemble de plus en plus à ton père et il adore le piano. Je crois qu'il deviendra un virtuose !

— Vraiment ?

Nous prenons place aux côtés de mes parents. Deux autres chaises sont là, à proximité. Comme si des visiteurs étaient attendus.

— Nous étions impatients de vous voir arriver, déclare Lesly.

Intriguée, j'observe mon père.

— Et comment saviez-vous que nous allions arriver ?

Il s'abstient de répondre et se contente de sourire. Son regard se perd au loin, dans l'immensité de l'océan. Près de lui, sur le sable, une boule de cristal. Je l'aperçois en même temps que Pierrot.

— Jade m'a assuré que nous allions bientôt recevoir des réponses à nos nombreuses questions, commence Pierrot. Justement, j'en ai quelques-unes à vous poser. Peut-être pourrez-vous élucider certains mystères ?

— Certains mystères ? répète Lesly. Vous est-il arrivé des choses étranges en chemin ?

— Je dirais plutôt rocambolesques, nuance Pierrot. Ou encore prodigieuses, invraisemblables ! Enfin, vous voyez ce que je veux dire.

— Non, je ne vois pas.

— Mon père se complaît dans ce genre de situations, expliqué-je à Pierrot. Je suis certaine que c'est cette boule de cristal qui lui a prédit notre arrivée ici, aujourd'hui même.

— Écoutez bien ce que je vais vous dire, commence Lesly. Les astres sont favorables, je vais donc vous enseigner quelques trucs.

— Le temps est venu, ajoute ma mère, comme pour nous rassurer.

Pierrot me lance un regard. « De quel genre de trucs va-t-il nous entretenir ? », semble-t-il me demander.

— Regardez cette boule de cristal, fait Lesly en prenant dans ses mains le curieux objet. Vous n'en verrez jamais de semblable. Je l'ai trouvée dans des ruines, à Tulum, parmi des roches de cristal. C'était il y a de nombreuses années. Depuis, mon existence a changé. J'ai compris bien des choses à propos de la vie sur Terre et dans le cosmos. Les cristaux ont beaucoup de choses à nous enseigner. D'abord, ces pierres contiennent une mémoire millénaire, comme la plupart d'entre nous le savent, mais il y a plus encore.

Il se tait pendant un long moment, caressant la boule de cristal.

— Si nous connaissons suffisamment les propriétés et les pouvoirs des cristaux, poursuit-il enfin, ceux-ci peuvent nous permettre de pénétrer dans des mondes parallèles, dans d'autres dimensions de l'espace-temps. Vous me suivez ?

— Tout à fait, répondons-nous en chœur, Pierrot et moi.

— Entre autres, nous pouvons accéder à des mondes magiques, dans lesquels tout ce que nous souhaitons se réalise instantanément. C'est ce qu'on appelle notamment le pouvoir de la pensée.

Nous hochons de la tête, complètement subjugués. Lesly dépose la boule de cristal et s'empare doucement de ma main droite, puis de celle de Pierrot.

— Vous avez une mission à accomplir ensemble. Voilà pourquoi vous vous êtes rencontrés. Et votre rencontre est peu banale.

Pierrot a l'air captivé. Je serre sa main et celle de mon père contre mon cœur.

— Et quelle est cette mission, cher papa ?

— J'y viens. Êtes-vous prêts à l'entendre ?

Nous faisons signe que oui.

— D'abord, je dois vous confier un secret. Tout ce qui est survenu dans votre vie au cours des dernières heures, c'est en partie cette boule de cristal qui en est la cause. J'ai fait appel aux pouvoirs des cristaux pour vous aider à vous rendre jusqu'ici.

— Et... la robe jaune ? s'enquiert Pierrot. Et la Cadillac magique ?

— La magie a opéré parce que vous avez cru aux pouvoirs de cette robe et de cette Cadillac. Vous avez été émerveillés, charmés. Voilà d'où vient la magie : de l'émerveillement. Regardez les enfants, ils se contentent de peu. C'est ça, la beauté de l'enfance, de la vie, finalement. Les adultes qui ont gardé leur cœur d'enfant ont une existence exaltante, car ils sont capables de reconnaître les merveilles du monde.

— Et tout cela a un lien avec la mission que nous devons accomplir, Pierrot et moi ?

— Exact ! En fait, vous avez déjà commencé, dans la vie de tous les jours, à transmettre aux autres votre magie, que vous en ayez conscience ou non. Éventuellement, vous le ferez de façon plus officielle. Vous allez apprendre aux gens à s'émerveiller. Pas besoin d'avoir une boule de cristal pour accomplir cette mission ; il suffit d'y croire. Les cristaux ne font qu'accélérer le processus. Mais je vais quand même vous faire un cadeau.

Lesly s'agenouille près de la boule de cristal et prononce une incantation.

— Elle vous appartient, désormais, proclame-t-il solennellement en nous présentant le précieux objet. Cette boule de cristal unira vos forces et fortifiera votre amour. J'allais dire « cristallisera » votre amour.

Les yeux de Pierrot brillent d'admiration tandis qu'il tient entre ses mains le magnifique cadeau.

— Y a-t-il autre chose dont nous ayons besoin pour réaliser notre mission, Jade et moi ?

— Je crois que vous êtes bien outillés, maintenant. La robe jaune réalise les souhaits, la Cadillac vous permet de vous déplacer rapidement d'un point à un autre et la boule de cristal accentue l'effet de l'un et l'autre. Cela dit, vous devez être prudents. Si vous demandez de l'aide à la boule de cristal et que votre intention est bonne, celle-ci prévaudra. Vous ne pouvez faire fausse route. Je sais que vous saurez en faire bon usage, autrement, je ne vous l'aurais pas offerte. Sur ce, que diriez-vous d'un bon repas ? Vous devez être affamés !

Chapitre huit

À mon réveil, le lendemain matin, je m'extasie devant les couleurs du lever du jour. Pleine d'entrain, j'ouvre la porte vitrée et m'assois sur le balcon. Pierrot ne tarde pas à me rejoindre.

— Bien dormi, princesse ?

— Comme un bébé ! Je dors toujours bien avec toi.

— Moi aussi.

Il s'assoit à mes côtés et m'enlace, puis me pose la question qui lui brûle les lèvres.

— Quelle est la prochaine étape ?

— Tulum !

— Ah oui ? Pourquoi Tulum ? Et pourquoi maintenant ?

— On est à mi-chemin, aussi bien faire le reste du trajet. J'aimerais bien visiter les ruines où mon père a découvert la boule de cristal. Je suis curieuse.

Je me lève, entre dans la chambre et prends délicatement l'objet sacré.

— Est-ce si urgent d'aller là-bas ? s'enquiert Pierrot alors que je me rassois à ses côtés.

— C'est capital. Mon intuition me dit que je dois m'y rendre le plus tôt possible. Avec toi.

— OK. Et ton lancement, ton bal ?

— C'est dans dix jours.

— C'est bientôt ça, non ?

— Tu oublies qu'avec la Cadillac, on peut se déplacer beaucoup plus rapidement qu'à bord d'une voiture normale.

— C'est vrai, je n'y pensais plus.

— De toute façon, je suis pratiquement prête pour mon lancement; j'ai trouvé la robe et la voiture. Le reste, je peux le faire par Internet.

Mon regard se perd dans le bleu de la mer. Je prends la main de Pierrot dans la mienne.

— Tu aimerais vivre ici, Pierrot?

— Sans doute. C'est un environnement exceptionnel.

— Tout peut se faire rapidement si l'envie nous prend.

— Ça, je n'en doute pas un instant! Avec toi, tout est possible!

Nous demeurons un long moment silencieux, admirant les tons de bleu et de rosé du lever du soleil. Je plonge mes yeux dans ceux de Pierrot.

— Alors, Tulum… Tu m'y accompagnes?

— Bien sûr!

Je l'enlace tendrement.

— Je suis si heureuse! Il y a longtemps que je souhaite m'y rendre. Est-ce que partir demain serait trop rapide pour toi? D'ici là, nous pourrions passer la journée avec mes parents et mon petit frère, Jordan. D'ailleurs, ce dernier devrait être là d'une minute à l'autre. J'ai hâte de te le présenter!

Un claquement de porte retentit alors au rez-de-chaussée.

— Justement, le voici qui arrive. Descendons à sa rencontre. Et puis, j'ai l'estomac dans les talons!

Le déjeuner a lieu sur la terrasse devant une mer miroitante. Jordan est la vedette de l'heure.

— Raconte-moi tout, petit frère!

— Je me suis fait une petite amie. Elle s'appelle Emily, elle a les cheveux blonds frisés et elle aime danser. Plus tard, nous ferons des spectacles ensemble. Vous viendrez nous voir, Pierrot et toi?

— Certainement! Rien au monde ne me fera manquer tes spectacles, Jordan! Et toi, tu viendras au lancement de mon livre?

— Ça, c'est sûr! Je viendrai avec papa, maman et Emily. Tu vas me dédicacer ton livre?

— Et comment! Le tout premier exemplaire, je te le réserve!

— Génial! Tape là-dedans!

À ce moment précis, un curieux phénomène se produit. Au contact de sa main, tout me revient. Je me rappelle avoir vécu ceci dans une autre vie. J'ai à peine le temps de réfléchir à la question que Jordan s'écrie :

— Eh, Jade, j'ai l'impression d'avoir déjà vécu cette scène. C'est vraiment bizarre!

Mes parents et Pierrot nous observent attentivement, curieux.

— Moi aussi j'ai une impression de déjà-vu! m'exclamé-je.

Jordan s'adresse à son père :

— Papa, qu'est-ce qui se passe? Tu le sais, toi?

— Il y a deux possibilités, répond Lesly. Soit c'est un rappel d'une vie antérieure, soit c'est une situation que vous êtes en train de vivre dans une vie parallèle en ce moment même, mais ailleurs, dans une autre dimension.

— Wow! lance Jordan. Est-ce que ça fait partie des enseignements que nous allons recevoir?

— Tout à fait! Et ces enseignements, vous êtes probablement en train de les transmettre dans une vie parallèle, au moment même où l'on se parle. La réalité terrestre est une chose, mais les actes que nous posons dans les autres dimensions sont également importants.

Chapitre neuf

En route vers Tulum

Le soleil est étincelant lorsque, le lendemain, Pierrot et moi nous élançons sur la route longeant la côte Ouest.

En très peu de temps, nous sommes déjà à mi-chemin. Le paysage se transforme rapidement, le luxe californien laissant place à de rustiques villages mexicains. Nous nous arrêtons à Puerto Morelos, une petite communauté près de Tulum.

Après un bon repas, nous prenons la direction des ruines. C'est une journée calme, sans trop de touristes. Nous entrons sur le site archéologique. Le premier bâtiment à m'interpeller est le Temple des Fresques. Pierrot me suit alors que j'y accède, boule de cristal en main.

Le temple est vide et sombre. Seuls quelques faibles rayons lumineux éclairent les lieux. Nous nous assoyons au centre. Je place la boule de cristal entre Pierrot et moi et, comme par magie, un faisceau de lumière blanche jaillit du cristal, le faisant scintiller.

Je ferme les yeux et invite Pierrot à faire de même. Rapidement, je sens une énergie bienfaisante m'envelopper et se répandre jusqu'à mon compagnon. J'ai l'impression que lui et moi ne faisons qu'un.

Une image apparaît alors dans mon esprit. Pierrot et moi, vêtus d'habits princiers, nous tenons debout devant un être divin qui nous déclare mari et femme. Nous plongeons ensuite dans la mer et y découvrons notre château.

Quand j'ouvre les yeux, Pierrot me fait toujours face, mais il est quasi transparent, comme s'il était en train de disparaître. Dès qu'il ouvre les yeux, il affirme, d'une voix que je ne lui connais pas : « Tu es presque transparente. »

Je lui parle de mon expérience. Il m'écoute avec attention.

— Moi aussi j'ai eu une vision de toi, dit-il. Tu étais vêtue d'une magnifique robe.

— C'est fantastique ! Nous avons vu les mêmes choses ! Toi, tu étais semblable à la vision que j'ai eue dans la boutique, alors que tu étais transformé en prince.

— Comment expliques-tu ce phénomène ?

— Peut-être étions-nous prince et princesse mayas dans une vie antérieure ? Ou peut-être le sommes-nous actuellement, dans une vie parallèle ?

— C'est plausible, mais vraiment étrange.

— Je crois que tout finira prochainement par avoir du sens.

Nous nous recueillons pour méditer sur notre expérience. C'est à ce moment qu'une apparition surgit dans le faisceau de lumière surplombant la boule de cristal. Une forme se dessine peu à peu. Au moment où je reconnais les traits du personnage, j'entends une voix en moi : « Jade... »

— Grand-mère ?

La voix reprend :

« J'ai vécu ici, sur ce site. Tout comme toi, j'ai été une princesse maya. Il se trouve, dans ces ruines, un trésor d'informations qui t'est destiné. Cette mise en scène, la robe jaune, la Cadillac, la boule de cristal, c'était pour te mener jusqu'ici avec ton prince, qui était aussi ton mari dans ta vie précédente. Tu l'as quitté pour rejoindre ta mère dans les Hautes Sphères. Il te faudra plus tard revenir dans ces ruines avec tes parents et ton frère. Tu savais que Jordan a, lui aussi, fait partie de ta précédente vie ? Il était alors ton neveu. Il faut absolument vous réunir ici tous les cinq. C'est à ce moment que votre plein pouvoir vous sera révélé. J'en ai assez dit pour le moment. Il est très difficile pour moi d'apparaître ainsi et de te parler. Cela me demande énormément d'énergie. J'aimerais être visible et audible plus longtemps, mais je ne le peux pas pour l'instant. De toute façon, je suis toujours près de toi en esprit, comme tu as pu le constater. »

Sur ce, Célestine disparaît aussi vite qu'elle est apparue et je l'entends dire, d'une voix lointaine, presque inaudible, « À très bientôt ! »

Je demeure un long moment à contempler le faisceau lumineux. Pierrot respecte mon silence. J'ai l'impression d'être plongée dans une sorte de transe. Mon corps est à la fois lourd et léger. Ma vue est brouillée. Je n'entends plus aucun son.

De nouvelles images surgissent dans mon esprit : Pierrot et moi sommes à bord de la Cadillac rouge sur une route en bordure de la mer. Nous faisons de nombreuses haltes dans des villages souvent très pauvres. À notre arrivée dans chacune des petites agglomérations, les gens nous saluent de la main, sourire aux lèvres, comme si nous y étions attendus. Nous nous arrêtons auprès d'eux. Ils nous font visiter leur environnement, nous expliquent leurs us et coutumes. Ensuite, les habitants de la communauté se rassemblent pour préparer un repas que nous partageons avec eux. Nous profitons de l'occasion pour leur prodiguer certains des enseignements que mon père nous a transmis. Nous leur expliquons notamment comment faire intervenir la magie dans leur vie.

La seconde d'après, je suis de retour dans les ruines de Tulum, cette fois-ci dans la Casa del Cenote. Des puits d'eau douce nous entourent.

Mes visions disparaissent. Je fixe Pierrot.

— Tu as fait un voyage, Jade ?

— Probablement le même que toi.

— J'étais avec toi, effectivement. Nous nous promenions de village en village à bord de notre Cadillac. Nous donnions des enseignements.

— C'est fabuleux !

— Je ne comprends rien à tout cela. J'imagine que ton père nous donnera des explications lorsque nous lui raconterons notre visite en ces lieux.

— Je suis certaine qu'il aura des réponses à nos questions. En attendant, que dirais-tu d'aller casser la croûte dans les alentours ? Ces expériences fantasmagoriques m'ont ouvert l'appétit.

— Bonne idée ! Et une baignade dans la mer par la suite ?

— Je suis partante !

Le soleil commence à décliner lorsque, après avoir dégusté de savoureux fruits de mer, nous plongeons dans l'eau turquoise. À notre sortie de l'océan, nous nous étendons sur la plage pour une sieste bien méritée. Le sommeil nous gagne rapidement. En songe, je revois ma grand-mère. Elle m'informe qu'il est grand temps de retourner au Québec pour préparer le baptême de mon tout premier bébé, c'est-à-dire le lancement de mon livre. J'ai également la vision de mes parents et de mon frère qui prennent allègrement la route vers le Québec pour assister à cet événement.

Chapitre dix

La salle de bal du Reine Élizabeth, où se tient le lancement, est grandiose et décorée avec le plus grand soin. De nombreux employés sont affectés à la préparation de la pièce. Un coin vient tout juste d'être aménagé pour la séance de dédicaces. Dans un angle de la salle, une scène est prévue pour l'orchestre. Sur les tables des convives sont déposés des bouquets de roses jaunes.

Ce n'est pas l'événement du siècle, mais certainement celui de l'année. Les médias ont eu vent de nos aventures, à Pierrot et moi, à bord de notre étincelante Cadillac rouge. Certaines personnes nous ont même vus nous transformer en personnages mayas, mais aucun journaliste n'a encore été capable d'immortaliser ces étranges phénomènes. Malgré cela, l'intérêt des médias vient surtout du fait que mon père est un homme reconnu, notamment pour ses soins de santé hors pair. Il a complètement guéri ma mère d'une faiblesse au cœur qui aurait pu lui coûter la vie. Les médecins ne peuvent expliquer cette guérison, et certains d'entre eux ont même osé parler de miracle. Jeanne, ma mère, raconte cette histoire à qui veut bien l'entendre. C'est ainsi que la nouvelle s'est répandue. Comme mes parents assisteront à mon lancement, de nombreuses personnes espèrent les rencontrer. Une chose est certaine, les curieux ne manqueront pas de se présenter à l'entrée de l'hôtel Le Reine Élizabeth, où mes parents et moi avons loué une suite pour la nuit.

C'est demain le grand jour. Mettre au monde un enfant me ferait le même effet, je crois. En fait, quand j'ai envoyé le manuscrit à l'imprimeur, j'ai eu de si vives douleurs au ventre que j'avais l'impression d'être en plein accouchement. Par contre, le lancement d'un livre, c'est peut-être davantage comme un baptême : nous présentons au monde notre bébé en espérant qu'il sera accueilli dans l'amour.

Oui, demain est un grand jour : je présenterai au public mon œuvre, ce que je suis réellement.

***

Les invités arrivent par groupes. Parmi les convives, je distingue notamment les parents de Pierrot et ceux d'Emily. Ces derniers ont pris la peine de se déplacer jusqu'ici pour ce qu'ils considèrent être « un événement à ne pas manquer ».

Après avoir fait les présentations, Pierrot et moi nous élançons sur la piste pour une valse. J'aperçois bientôt mes parents qui se fraient un chemin parmi les convives déjà nombreux. La robe bleue de ma mère lui va à merveille et mon père porte fièrement un élégant complet noir. Jordan est derrière eux, accompagné de sa petite amie Emily, dont les cheveux blonds et bouclés brillent sous l'éclairage. Elle est vêtue d'une robe blanche tout en dentelle. Quant à moi, j'ai revêtu ma robe jaune à crinoline, évidemment. Pierrot, lui, est majestueux dans son habit blanc assorti d'un nœud papillon jaune.

À la fin de la danse, nous nous retrouvons tous à la grande table qui nous est réservée.

— Tu es magnifique, ma fille ! s'exclame Lesly en me serrant dans ses bras.

— Oui, tu es vraiment belle ! assure Jordan.

Puis ma mère, resplendissante, s'avance vers moi. Autour de son corps jaillit une aura indigo, lumineuse. Nous nous étreignons longuement. Le sentiment qui nous habite en cet instant est d'une douceur infinie. Je suis pleinement consciente que j'ai failli perdre ma mère à cause de sa faiblesse au cœur, et un amour immense emplit tout mon être.

Quand je me défais de son étreinte pour l'admirer, je crois voir ma grand-mère. Les mêmes joues rondes, les mêmes lèvres fines, le même regard rieur. « N'oublie pas, il faut y retourner avec ta famille. »

C'est Célestine qui vient de me parler. « Il faut y retourner... » Elle fait allusion à Tulum, bien sûr. Je sens tout à coup une urgence de me retrouver avec mes proches sur le site archéologique de l'ancienne cité maya.

∗∗∗

Des centaines d'invités se présentent ce soir. L'ambiance est féérique. Je ne me rappelle pas avoir autant dansé. Je change de cavalier au gré des pièces musicales.

Au milieu de la soirée, je prends le micro et lit un passage de mon essai, *À travers Vents et Planètes*. Je choisis de lire l'introduction.

Cher lecteur, comme j'ai toujours admiré le poète Émile Nelligan et qu'il m'a sans cesse inspirée, je commence cet ouvrage en citant quelques lignes de ce poème que je chéris :

« Ah ! comme la neige a neigé !
Ma vitre est un jardin de givre.
Ah ! comme la neige a neigé !
Qu'est-ce que le spasme de vivre
À la douleur que j'ai, que j'ai !

Tous les étangs gisent gelés,
Mon âme est noire : Où vis-je ? où vais-je ?
Tous ses espoirs gisent gelés :
Je suis la nouvelle Norvège
D'où les blonds ciels s'en sont allés. »

Ce livre propose une réflexion non seulement sur notre monde, mais aussi sur l'aspiration à un monde meilleur, un rêve que chérissent de nombreuses personnes parmi nous. Mon but ultime est de répondre un jour à la fameuse question : « Qu'est-ce que le spasme de vivre ? »

De nombreux journalistes nous approchent au cours de la soirée. Ils s'entretiennent avec moi, mes parents, mon frère, mon prince. Vers la fin de la soirée, alors que Pierrot et moi défilons une fois de plus sur la piste de danse, des exclamations fusent de toutes parts.

— Qu'est-ce que c'est que ça ?

— Un mirage ? Une illusion d'optique ?

— Une holographie !

Je remarque alors avec stupéfaction que Pierrot a l'apparence d'un prince maya, comme ce fut le cas dans le passé. À son regard ébloui, je devine que je suis aussi transformée en princesse.

Les photographes et caméramans accourent afin d'immortaliser ou de filmer ce curieux phénomène. Aux questions des journalistes, nous répondons qu'il s'agit certainement d'une brèche qui s'est formée entre des mondes parallèles, que nous fusionnons avec une autre version de nous-mêmes, avec une autre dimension de la réalité. Confus, ils reviennent à la charge avec d'autres questions. Pierrot leur répond :

— C'est la robe jaune qui est à l'origine de toute cette magie. Quand Jade la revêt, des événements particuliers surviennent.

— Comment est-ce possible ? demande un journaliste, surexcité.

— Cette robe a sans aucun doute des pouvoirs magiques.

— Vraiment ? Et pourquoi donc ?

— Nous n'avons pas encore de réponse à cela, conclut Pierrot.

Les flashes s'arrêtent enfin. Quand les journalistes s'éloignent, mon père s'avance vers moi et m'invite à danser.

— Je crois que ton prince et toi allez faire la manchette !

— Tu nous as vus transformés, toi aussi ?

— Bien sûr !

— J'ai hâte de voir leurs images ! Je me demande quelle version de Pierrot et moi sera immortalisée. Je doute que les appareils-photos puissent rendre ce genre de faits inusités. Qu'en penses-tu, cher père ?

— On verra bien. C'est la première fois que je suis témoin d'un tel événement.

À la fin de la pièce musicale, nous rejoignons le reste de ma famille. Je souhaite profiter du fait que nous sommes rassemblés pour annoncer la nouvelle. Je fais signe au serveur et commande une bouteille de champagne. Quand il revient avec le mousseux et qu'il remplit les coupes, les parents de Pierrot et d'Emily, intrigués, regagnent notre table avec empressement. Je me lève et prends la parole :

— Pierrot et moi avons une primeur à vous communiquer. Nous voulions attendre à demain, mais l'impatience nous a gagnés. Nous allons bientôt nous installer en Californie !

C'est la surprise générale.

— C'est super ! s'écrit Jordan en se jetant dans mes bras. Je suis très heureux ! Vous allez pouvoir assister à nos spectacles de danse et de piano !

Emily s'avance à son tour.

— Vous allez aimer la Californie, j'en suis sûre, affirme-t-elle dans un français impeccable. Mes parents et moi pourrions vous faire visiter, ce serait amusant.

Je me tourne vers mon père et ma mère pour observer leur réaction. Ils se contentent de sourire tendrement, l'air peu surpris. Peut-être ont-ils eu vent de cette nouvelle en consultant la boule de cristal, alors que celle-ci était encore en leur possession ?

Chapitre onze

Le lendemain, à notre réveil, nous faisons monter à notre suite café, croissants et autres douceurs. Le garçon remet à Lesly un exemplaire du journal. Nous nous assoyons dans la salle à manger.

— Eh bien, Jade, je te l'avais prédit! s'écrie Lesly. Ton prince et toi faites la une ce matin. C'est titré *Une robe jaune aux pouvoirs magiques?*

Hier soir, au lancement du livre À travers Vents et Planètes *de l'auteur Jade — c'est ainsi qu'elle signe son ouvrage —, un phénomène extraordinaire s'est produit. Tandis qu'ils dansaient, Jade et son compagnon se sont métamorphosés en prince et princesse mayas. Leurs vêtements se sont magiquement transformés sous les yeux du public. À la question « Comment cela est-il possible? », Pierrot a répondu que c'est la robe jaune de sa partenaire qui est à l'origine de cette magie. Quand Jade la revêt, des événements particuliers se produisent. Selon le jeune homme, il s'agit de mondes parallèles. Ce couple aurait la capacité de fusionner avec une autre version d'eux-mêmes, de pénétrer dans différentes dimensions de la réalité. Il va sans dire que cette histoire est tout, sauf banale. À suivre de près.*

Mon père dépose le journal sur la table à café. Je m'en empare aussitôt.

— Le journaliste a réussi à nous immortaliser dans notre version maya! m'exclamé-je. C'est surprenant!

Pierrot s'avance à mes côtés pour voir la photo.

— N'aviez-vous pas affirmé, Lesly, que lorsque Jade et moi nous transformons en personnages mayas, nous nous trouvons dans une autre dimension ?

— Exact.

— Comment se fait-il alors qu'un appareil puisse nous capturer en image dans notre version maya ? S'agit-il d'une caméra spéciale ? La technologie est-elle avancée à ce point ?

— Il semble que ce soit le cas. Mais n'oublie pas ce que je t'ai dit à ce propos : lorsque le phénomène survient, Jade et toi vous trouvez dans une dimension à la fois terrestre et parallèle, comme si les deux fusionnaient. Tu comprends ? Regarde bien la photo : une partie de vous deux me semble un peu flou...

Nous observons l'image de plus près.

— Vous avez tout à fait raison ! s'exclame Pierrot.

Nous passons une bonne partie de la matinée à discuter du lancement. Une fois l'effervescence passée, ma mère prend doucement la parole.

— Au fait, Jade, quand comptez-vous emménager en Californie, Pierrot et toi ?

— Nous n'avons pas encore fixé de date, mais c'est pour bientôt.

— Depuis que nous vous avons rendu visite, nous ne cessons d'en parler, ajoute Pierrot, enthousiaste.

— Une coquette maison vient d'être mise en vente dans notre voisinage, continue ma mère. Lesly et moi pensons que cette propriété est pour vous. On peut en faire la visite virtuelle sur Internet, si vous voulez.

— Bonne idée ! lancé-je avec empressement.

Je m'empare de la manette et allume l'écran géant fixé au mur. Je lance rapidement une recherche pour trouver le site de l'agence immobilière mandatée pour la vente de cette propriété. Nous sommes tous rivés à l'écran pendant que les images défilent. Une fois la visite terminée, je prends la main de Pierrot dans la mienne.

— Je ne sais pas ce que tu en penses, mais en ce qui me concerne, c'est un coup de cœur.

— Je suis intéressé à la voir, déclare Pierrot, l'air charmé.

— Je suggère que nous partions demain pour visiter ce bijou, dis-je. S'il s'avérait que cette maison est la nôtre, c'est en Californie que nous ferons la promotion de mon livre! Dès qu'il sera traduit en anglais, bien sûr! Ce serait tout à mon avantage puisque le marché américain est bien plus important que celui du Québec.

Chapitre douze

— Ça va être long se rendre en Californie en voiture ! s'écrie Jordan. Pourquoi on ne prend pas l'avion ?

Je jette un coup d'œil dans le rétroviseur et fais un clin d'œil à mes parents. Jordan et Emily sont assis entre eux deux.

— Jade a reçu en cadeau cette magnifique Cadillac rouge, qui est ultra rapide, explique Lesly. Nous serons chez nous en un rien de temps, mon garçon !

— Ah oui ? s'étonne Jordan. Et quelle vitesse peut-elle atteindre, cette Cadillac ?

— La vitesse de l'éclair ! répond Pierrot.

— Dans les Hautes Sphères, la distance n'est pas importante, explique ma mère, pas plus que le temps, d'ailleurs. Quand nous sommes à bord de cette voiture, l'espace-temps n'existe pas.

— C'est quoi, maman, les Hautes Sphères ? questionne Jordan.

— C'est le lieu d'où nous venons, une grande maison universelle dans laquelle nous retournerons tous un jour. Là-bas, aucune limite ne nous restreint.

— Wow ! Je veux y aller !

— Plus tard, mon chéri. Pour l'instant, tu as des choses à faire sur cette planète. Ne crains pas, nous t'enseignerons comment retourner dans ta maison originelle. Et toi aussi tu l'enseigneras aux autres.

— Quand est-ce que je commence mes cours ?

— Dès que possible. Nous attendions la venue de Jade et de Pierrot avant de commencer. La boule de cristal nous disait que c'était imminent.

Nous roulons maintenant à proximité de la maison de mes parents. Je m'arrête au bout de l'allée qui mène à la résidence.

— Déjà! s'étonne Jordan. C'est incroyable, nous venons tout juste de partir de Montréal!

— Je t'avais dit que cette Cadillac était ultra rapide, confirme Lesly.

— Je l'adore! J'en veux une, moi aussi!

Jordan sort prestement du cabriolet et en fait le tour pour l'admirer. Pendant ce temps, ma mère me tend une carte de visite.

— Votre future résidence est au bout de la rue, m'informe-t-elle. Voici les coordonnées de l'agent immobilier.

— Nous allons de ce pas la visiter, n'est-ce pas Pierrot? J'appelle l'agent immédiatement.

J'appuie sur la touche de l'appareil intégré au tableau de bord et compose le numéro.

— Nous vous attendrons dans le jardin pour un goûter, conclut ma mère avant de sortir de voiture.

***

Après avoir visité l'intérieur de la propriété, Pierrot et moi nous rendons dans le jardin pour nous consulter.

— Je n'ai jamais vu une aussi belle maison, me confie Pierrot.

Mon regard s'attarde sur les arbres en fleurs, la fontaine, le spa, la piscine, dont l'eau se confond avec celle de l'océan…

— Si tu vends ta maison, et moi, la mienne, nous pouvons l'acheter sans problème, affirmé-je. Je puiserai ce qu'il manque dans l'héritage de ma grand-mère. De plus, Lesly m'a laissé entendre qu'il comptait investir un certain montant pour nous aider à l'acquérir.

— Nous avons vraiment de la chance ! Mais ta maison d'édition ? Ça ne te causera pas de problèmes si nous nous établissons ici ?

— Pas du tout ! D'ailleurs, Léonardo m'a téléphoné il y a quelques jours et je lui ai parlé de notre projet. Il m'a assuré que si je décidais de m'installer en Californie, il serait en mesure de prendre soin de mes affaires au Québec. Il a beaucoup d'expérience en gestion. De toute façon, je peux travailler à distance. Ce n'est pas très compliqué.

— Tu as raison. Quant à moi, j'aurai l'opportunité d'avoir des contrats mirobolants par ici. La plupart des résidents ont de très chics terrains, mais de nombreuses personnes se lassent rapidement de leur environnement et aiment changer de décor régulièrement. J'ai toujours des idées plein la tête, surtout quand mes clients ont un budget illimité. Tu te rends compte de la manne que représente pour moi la Californie ?

— C'était tout réfléchi, mon chéri !

***

Ce soir-là, c'est la fête dans le jardin de mes parents. Ceux-ci nous proposent leur aide pour la vente de nos maisons.

Le lendemain, Lesly téléphone à l'agent qui a vendu l'ancienne résidence de mes parents. Avec ses vingt ans d'expérience dans le domaine de l'immobilier et son important réseau de relations, cet agent a l'habitude de vendre rapidement des propriétés. Il n'a qu'à consulter sa banque de données et, en un rien de temps, il dresse une liste d'acheteurs judicieusement ciblés. D'après lui, les terrains boisés sont de plus en plus rares et recherchés. Voilà certainement un atout pour la vente de nos propriétés.

À peine une semaine plus tard, j'accepte une offre faite sur ma résidence. La semaine d'après, c'est au tour de Pierrot. Quand ce dernier annonce la nouvelle à ses parents, ceux-ci proposent sur-le-champ de nous rendre visite à Santa Barbara. Ce sera une belle occasion d'explorer la région, notamment les sites archéologiques et les parcs nationaux.

Après avoir réglé les formalités, nous sommes disposés à prendre un peu de repos pour accueillir la famille de Pierrot.

***

Quelques jours plus tard, nous nous retrouvons aux Îles Channel, près de Santa Barbara, en compagnie de Charles et Justine, les parents de mon prince. Ces derniers ont vite constaté que les médias disaient vrai à notre sujet et en ce qui a trait à la Cadillac magique. Dès qu'ils sont montés à bord de celle-ci en notre compagnie, Pierrot et moi nous sommes transformés en personnages mayas. Comme si cela n'était pas suffisant, mon prince a insisté pour que je porte ma robe jaune. Il espère qu'un événement fantastique surviendra et que ses parents pourront aussi être témoins des pouvoirs du vêtement. Quelle idée, tout de même, de se balader dans les parcs nationaux en robe à crinoline !

En marchant dans les sentiers, j'ai l'impression d'entendre des voix, celle d'une femme, plus particulièrement. Je finis par reconnaître la voix de ma grand-mère, qui tente encore une fois de me révéler des informations. « Les Chumash, tu te rappelles ? » Je tends l'oreille, bien que cela ne serve absolument à rien. La voix résonne uniquement dans mon esprit. « Les Chumash, répète-t-elle. C'est ma tribu. Le sol que tu foules, j'y ai vécu, il y a très longtemps. Rappelle-toi... »

Justine m'observe attentivement, un sourire aux lèvres. Est-ce qu'elle entend aussi la voix de ma grand-mère ?

**

Le lendemain, nous visitons le parc national de Séquoia, dans lequel se trouve, dit-on, le plus gros arbre du monde. En marchant autour de ce géant, je ressens une forte énergie. Tandis que Pierrot et ses parents admirent d'autres arbres aux alentours, j'ai l'idée de m'asseoir au pied de ce roi de la forêt afin de me connecter à la Terre-Mère. Un être vivant aussi majestueux doit bien avoir quelque chose à dire...

J'étends une couverture et m'y assois. Tandis que je m'imprègne de l'énergie des lieux, j'entends des gens parler, mais je fais fi du bruit ambiant.

Au bout de quelques minutes, un faisceau lumineux entre par mon chakra supérieur et descend dans ma colonne vertébrale. Cette lumière blanche, je ne la vois pas, je la sens. Elle est amour, joie, gratitude. C'est l'énergie de ma grand-mère, de sa tribu. Cette force lumineuse est dotée de propriétés curatives. Je ressens une profonde paix dans tout mon être. « C'est avec l'énergie de la Terre que les humains se guériront. Avec celle des arbres, notamment. Tu leur montreras comment faire, Jade. C'est simple : il suffit de prendre contact, de s'asseoir au pied d'un arbre, de communier avec lui. »

Une image m'apparaît : celle de ma mère, dans sa vie précédente. Je la vois s'éteindre au moment où un halo se forme autour d'elle. Une lumière étincelante provenant de très haut vient chercher son âme pour la guider jusqu'au Ciel. Je constate que je me trouve dans une voiture, pleurant son départ à chaudes larmes après avoir appris la nouvelle. Puis je sens la chaleur du soleil qui me console, me guérit. Ma mère me sourit alors qu'elle entre au Paradis. En même temps que son énergie bienfaisante m'enveloppe, je ressens avec ravissement sa délivrance. Puis je me vois toucher son corps inerte dans la chambre d'hôpital. La peine et la joie s'entrechoquent.

J'entends des pas, des rires. J'ouvre les yeux. Pierrot et ses parents avancent lentement vers moi. Mon amoureux s'assoit à mes côtés.

— Tu pleures ? demande-t-il tout bas.

Je tente tant bien que mal de revenir à la réalité terrestre.

— Je viens de vivre une expérience bouleversante. J'ai revécu en esprit un épisode de ma dernière vie.

— Vraiment ? Tu peux en parler, si tu en ressens le besoin. Mes parents sont très ouverts à ce genre de choses.

Nous invitons ses parents à s'asseoir auprès de nous. Je leur raconte mon expérience, ainsi que celles des derniers jours.

— Je crois, commence Justine, que tu devrais venir marcher ici avec ta mère. Ces lieux sont empreints de bonnes énergies. La preuve, ta grand-mère est entrée en communication avec toi et elle t'a transmis de nombreux messages au cours des derniers jours. Elle te parle souvent des membres de ta famille, de l'importance de visiter certains sites en leur présence. Ce sont des messages très importants ; il faut leur donner suite. Tu devrais en parler à tes parents.

— C'est mon intention.

Justine jette un coup d'œil à son mari et à son fils ; ceux-ci nous écoutent attentivement.

— Tu sais, j'ai perdu ma mère, il y a un an. Elle était la personne la plus chère à mon cœur. Mais elle est si présente, un peu comme ta grand-mère l'est pour toi. Ma mère et moi communiquons régulièrement. Elle m'a d'ailleurs parlé de toi ; je savais que tu entrerais dans la vie de mon fils. Je te connaissais avant même de te rencontrer.

Pierrot sourit. Il semble être déjà au courant. Je plonge mon regard dans celui de sa mère.

— Dites-moi, Justine, quel est le sens de la vie sur Terre, selon vous ? Je me pose cette question, car, jusqu'à maintenant, j'ai obtenu tout ce que je souhaitais. Tous mes rêves se réalisent. Par contre, je vois bien la misère dans le monde. Je sais que, pour de nombreuses personnes, ce n'est pas aussi facile. Je me demande pourquoi je suis si choyée alors que d'autres souffrent. Il est vrai que j'ai été atteinte d'une maladie grave, mais j'ai réussi à me guérir grâce aux enseignements des Amérindiens et de mon père. Pourquoi n'est-ce pas le cas pour tout le monde ? Pourquoi tant de gens malades n'arrivent-ils pas à guérir ?

Elle prend mes mains dans les siennes, l'air compatissant.

— Dans tes existences précédentes, tu as probablement accompli ce que tu avais à accomplir. Tu as évolué, voilà pourquoi tu as l'impression que tout est plus facile pour toi comparativement aux autres. Cependant, les choses n'ont pas toujours été aussi aisées pour toi dans d'autres vies. Tu as certainement travaillé fort précédemment et tu mérites les bienfaits de ton existence actuelle. Savoure-la, cette vie qui t'est offerte, croque dedans à pleines dents et, surtout, ne te sens pas coupable d'être heureuse même si bien des gens sont malheureux. Bien sûr, nous ne pouvons faire fi de la détresse de nos semblables, mais cela ne veut pas dire qu'il faut être nous-mêmes dans la détresse. Ce que nous pouvons faire, c'est aider ces personnes à se libérer du malheur et de la maladie en leur enseignant ce que nous savons. Pour ta part, il semble que c'est par la voie de l'écriture que tu transmettras tes connaissances. Il y a différentes façons d'enseigner.

Parfois, il n'est pas nécessaire de parler, de s'exprimer. Nous pouvons être un exemple de courage et de sérénité par notre simple présence, ou encore par nos actes. Tu sais déjà ces choses. Tu as simplement besoin de les entendre dire par quelqu'un d'autre.

J'acquiesce en silence pendant que Justine m'entoure de ses bras. Au sein de cette étreinte réconfortante, je ressens l'immensité de son amour. Peu à peu, l'amour de ma mère m'imprègne également. Justine le devine, car elle reprend aussitôt :

— L'amour est universel. Il est normal que tu ressentes actuellement celui de ta mère. Elle sait ce qui se passe présentement, crois-moi. Nous, les femmes, plus particulièrement les mères, sommes dotées d'un sixième sens pour percevoir à distance. Toi aussi tu développeras ces capacités, surtout si tu enfantes. Tu comprendras alors l'ampleur de ce que je viens de dire.

Justine observe successivement Pierrot et son mari.

— Les hommes aussi ressentent des émotions, poursuit-elle, mais ils en parlent peu. Ils ne comprennent pas toujours d'où leur viennent ces idées, ces réflexions, et ils préfèrent les garder pour eux. Ils doivent apprendre à ouvrir leur cœur et à s'exprimer.

— Ma femme a raison, admet Charles. Heureusement qu'elle est dans ma vie. Elle m'a aidé à comprendre mes émotions, et j'ai essayé de transmettre ces valeurs à mon fils.

Il fait une accolade affectueuse à ce dernier.

— Je crois que je m'en suis bien sorti, ajoute-t-il en observant Pierrot du coin de l'œil.

Je regarde tendrement mon prince.

— Vous avez fait un excellent travail, en effet !

L'après-midi s'étire au pied de l'arbre. À la tombée du jour, nous prenons le chemin du retour. Avant d'entrer dans

la maison de mes parents, Justine me répète ses recomman-
dations :

— N'oublie pas d'aller marcher là-bas avec ta mère. Juste
vous deux. Vous en avez long à vous dire.

Je lui fais la promesse d'inviter ma mère à un tête-à-tête
au pied de l'arbre majestueux.

Chapitre treize

Le lendemain, j'ai un entretien avec ma mère au sujet de cet arbre gigantesque. Elle se réjouit à l'idée d'aller s'asseoir avec moi au pied du roi de la forêt. Par la même occasion, elle me fait part du désir de mon père de commencer à nous transmettre ses enseignements. Je propose donc à la famille de nous rassembler dans le parc national de Séquoia en guise d'introduction, ce qui fait l'unanimité.

Au cours de cette première séance, Pierrot et moi apprenons que les expériences que nous avons vécues au cours des dernières semaines étaient des « examens préparatoires » à ce qui s'en vient, et que nombre de ces expériences ont été de simples visions.

— Votre voyage à Tulum, par exemple, n'était que pure illusion, explique Lesly. Vous avez l'impression d'y être allés avec votre corps, mais ce voyage ne s'est produit que dans votre esprit.

— Comment est-ce possible ? demande Jordan, confus.

Pierrot me jette un regard intrigué, puis se tourne vers mon père.

— Mais… nous étions bel et bien dans la Cadillac rouge ! Et nous avons bel et bien vu tous ces paysages, ces gens. Et le temple…

— Je vous le répète : ce voyage n'a eu lieu que dans votre esprit, aussi invraisemblable que cela puisse paraître !

Un long silence s'installe. Jordan fronce les sourcils. Il a du mal à comprendre tout ce qui se dit. Pour lui, c'est une véritable initiation aux mystères des Hautes Sphères.

Lesly reprend :

— La robe jaune, la Cadillac rouge, la boule de cristal, tous ces objets ne sont que des symboles pour vous guider.

— À quoi servent-ils alors ? demandé-je, perplexe.

— Je répète : ce sont des symboles. La robe jaune symbolise la personnalité. Ce vêtement a un pouvoir magique parce que tu t'es approprié ce pouvoir, Jade. Pour toi, une robe jaune symbolise la lumière, l'amour, l'intégration d'un enseignement. Ces mêmes propriétés magiques ne fonctionnent pour aucune autre personne que toi. L'essentiel, ma fille, c'est de croire au pouvoir symbolique de cette robe. C'est la même chose pour la Cadillac. La voiture représente l'espace-temps qui, sachez-le, n'est qu'une invention de l'homme. Dans les Sphères Célestes, le temps et l'espace ne veulent rien dire. Je t'ai offert cette voiture, Jade, afin que tu puisses faire l'expérience de la notion de maya, qui signifie à la fois illusion et magie. L'espace-temps est aussi irréel que magique, en quelque sorte.

— Comme notre voyage à Tulum ?

— Exact. Je vais vous parler de la boule de cristal, maintenant. Elle représente l'âme individuelle et l'âme universelle. L'énergie qui en émane est infinie, invincible, omniprésente et omnipotente. La boule de cristal facilite l'accès aux autres dimensions, aux mondes parallèles. Elle élimine graduellement les notions d'espace-temps, ce qui explique le fait que nous puissions avoir des visions ou des révélations en la consultant. Voilà pourquoi vous avez vraiment eu l'impression de voyager à Tulum. En fait, vous avez réellement fait ce voyage, mais dans une autre dimension. Pour terminer, j'ajoute ceci : quand nous maîtrisons bien les forces de l'univers et les éléments des Sphères Célestes, nous n'avons plus besoin d'objets. Nous contrôlons alors à la fois la pensée, l'espace et le temps.

Ces informations sont fort complexes. Pensive, je regarde mon père, espérant peut-être trouver dans ses yeux des réponses à mes questions.

— Que doit-on faire pour contrôler la pensée, l'espace-temps et les éléments des Sphères Célestes? demandé-je finalement.

— C'est tout un apprentissage, ma chère, mais Pierrot et toi avez une longueur d'avance, car vous avez été initiés très tôt aux enseignements amérindiens. Les sages des Premières Nations en savent beaucoup sur les mystères de la vie et des Hautes Sphères, et vous aussi, désormais. Les réponses sont dans la nature, dans le silence.

Il fait une pause pour nous faire prendre conscience du silence environnant; seul le cri lointain des oiseaux le trouble. De ses bras, il nous montre l'étendue de la forêt.

— Quand nous sommes à l'écoute de notre être intérieur et que nous entrons en communion avec la nature, nous évoluons plus librement d'une dimension à l'autre. Lorsque nous maîtrisons suffisamment les forces de la nature, nous pouvons retourner à notre source originelle, là d'où nous venons, là où nous vivions avant de nous incarner sur Terre. C'est cela que vous devrez enseigner aux habitants de la planète. D'ailleurs, vous avez déjà commencé à le faire dans des vies parallèles, comme je vous l'ai déjà mentionné.

Je regarde tendrement mon père.

— Nous accompagneras-tu quand nous commencerons à enseigner aux autres dans cette vie-ci, sur cette planète?

— Jade, tu as assimilé de nombreuses notions au cours des dernières semaines. Tu n'as pas vraiment besoin de moi, je ne suis qu'un guide. Par contre, s'il y a une chose que tu devrais faire, c'est t'entretenir avec Jeanne.

Ma mère me sourit, comme pour me signifier qu'elle attend avec impatience le moment où nous aurons une discussion en tête-à-tête.

— Dans ta vie précédente, poursuit Lesly, tu as perdu ta mère et cela t'a causé une profonde blessure. Il est très important que tu communiques avec Jeanne pour guérir cette blessure passée. Entre ta précédente existence et celle-ci, nous avons tout mis en place, Jeanne et moi, pour réaliser notre mission. Toi aussi, Jade, tu as participé aux préparatifs. Tout a été planifié. Il faut contacter ton être intérieur ainsi que tes ancêtres et, surtout, écouter leurs messages. Ce sont eux, les guides. Comme je le disais un peu plus tôt, et j'insiste, la meilleure façon de recevoir une réponse à une question est de communier dans le silence avec la Terre-Mère. C'est à ce moment que notre vraie nature nous est révélée.

Pierrot semble perplexe.

— Je crois que je ne saisis pas encore tout à fait le rôle de la robe jaune et de la Cadillac dans cette histoire.

Lesly reprend calmement.

— Ces objets ne sont que des prétextes pour nous aider à comprendre certaines choses. La plupart des expériences fantastiques que Jade et toi avez vécues depuis votre rencontre ne sont que des visions de vies antérieures, futures et parallèles. Tout est réel mais, en même temps, tout est illusion. L'espace-temps nous trompe constamment. Au fond, les symboles importent peu. Ce qui est impératif, c'est de croire en la magie de la vie, en la magie de ce qui nous entoure. Chaque fois que nous faisons quelque chose ou que nous interagissons avec quelqu'un, nous devons faire intervenir cette magie. Elle est amour, beauté, lumière, noblesse de cœur… L'important, c'est d'être nous-mêmes en tout temps, de ne pas tenter d'être quelqu'un d'autre lorsque nous interagissons avec autrui, lorsque nous accomplissons une tâche, un travail. La vraie nature des choses et des êtres, voilà ce qui est primordial. Il faut constamment rechercher la vraie nature des choses.

Tout s'éclaire maintenant. Je comprends ce qui lie les événements des dernières semaines. Je me demande si, pour Pierrot aussi, tout devient plus clair. Je l'interroge du regard et décèle dans ses yeux une lueur de curiosité et de sagesse. Quant à Jordan, la fascination le laisse totalement muet. Il ne veut absolument rien manquer de ce qui se dit. Pour lui, il s'agit probablement d'un conte fantastique destiné aux jeunes de son âge. Le réel et l'irréel se côtoient confusément.

Mon père reprend :

— Ta robe, Jade, a une longue histoire. Tu y es très attachée. J'ai eu une vision de ta vie précédente au cours de laquelle j'étais ton guérisseur. Tu avais fait l'achat d'une robe jaune pour les funérailles de ta mère. Cet achat a été un événement déclencheur, et cette robe, en réalisant tous tes souhaits, t'a permis de renaître et de reconnaître ta vraie nature. Elle est devenue un symbole si puissant pour toi que tu l'as projetée dans ton esprit avant même de la trouver dans une boutique. Tu as eu la vision de cette robe et elle s'est par la suite matérialisée. Puisqu'elle est un puissant symbole pour toi, tu lui octroies des pouvoirs magiques.

— Est-ce la même chose pour la Cadillac ? demandé-je.

— Je crois que c'est Pierrot qui t'a permis de matérialiser ce véhicule. Dans sa vie précédente, il était un collectionneur de voitures. La Cadillac est un fort symbole pour lui. Voilà pourquoi elle est magique et qu'elle vous permet de voyager d'une dimension à une autre.

Pierrot, fasciné, semble soudain avoir tout compris.

— Si j'ai bien suivi, résume-t-il, lorsque Jade porte sa robe jaune et qu'elle se retrouve dans la Cadillac en présence de la boule de cristal, elle peut réaliser instantanément tous

ses désirs, se déplacer à la vitesse de l'éclair et avoir conscience
à la fois de ses vies passées et futures ? Elle peut faire fi de
l'espace-temps et voyager dans des mondes parallèles ?

— Tu as tout compris ! confirme Lesly.

Pierrot se tourne vers moi.

— Te rends-tu compte, Jade, de tout ce que cela implique ?
Réalises-tu les possibilités qui s'offrent à toi ?

— À nous, tu veux dire.

— Jade a raison, confirme Lesly. Puisque vous vivez tous
les deux en symbiose, tu es constamment impliqué, Pierrot.
Si Jade voyage dans des mondes parallèles, tu la suivras
immanquablement.

Au bout de plusieurs heures d'échange, je confie à mon
père mon désir de me retrouver seule avec ma mère, au pied
de l'arbre. Lesly invite donc Jordan et Pierrot à se joindre
à lui pour une randonnée improvisée dans le parc national
de Séquoia.

Chapitre quatorze

Dès l'instant où nous nous retrouvons seules, Jeanne et moi, un rayon de soleil se fraie un chemin jusqu'à nous. Nos visages sont baignés d'une lumière dorée. Dans les prunelles de ma mère, je vois briller une lueur captivante, de celles que les mères ne réservent qu'à leur progéniture.

— Je suis heureuse que tu m'invites à ce tête-à-tête intime, ma chère Jade. J'attendais ce moment depuis longtemps.

— C'est ta propre mère, Célestine, qui m'en a donné l'idée. Elle est venue me parler à quelques reprises, dernièrement.

— Je sais. Elle m'a visitée aussi et elle m'a dit que nous nous retrouverions bientôt au pied d'un arbre.

— Nous y voici.

Je prends délicatement la main de ma mère.

— Parle-moi de grand-mère...

— Ma mère avait du sang amérindien. Ton père également, comme tu le sais. Nos ancêtres étaient constamment en communion avec la nature. Voilà entre autres pourquoi ta grand-mère appréciait tant les arbres. Je ne suis pas du tout surprise qu'on se retrouve ici, toi et moi.

J'observe ma mère. Elle semble vouloir me dire quelque chose. La voyant hésiter, je lui parle de ce qui me préoccupe.

— Lesly a dit tout à l'heure que j'ai vécu la perte de ma mère, dans ma vie précédente, et que j'en ai été profondément blessée...

Elle devine ma question et y répond aussitôt.

— J'étais effectivement ta mère dans ta dernière vie, me confirme-t-elle. J'ai capté ta souffrance au moment de mon départ, mais aussi ta joie de me savoir libérée. C'était très émouvant de te voir. Tu ressentais mon énergie, c'était merveilleux ! Je pouvais communiquer avec toi de façon plus étroite que lorsque j'étais sur la Terre. Tu étais la seule personne de mon entourage à recevoir autant d'énergie de ma part, car tu étais la plus réceptive d'entre toutes. Je t'envoyais beaucoup d'amour et de lumière, tu sais. Par la suite, je t'ai guidée dans chacune de tes entreprises.

Elle s'approche de moi et me serre chaleureusement contre elle.

— Tu souhaitais avoir Lesly comme père dans ta prochaine vie. Tu as travaillé très fort pour que ton souhait se concrétise. À l'époque où je te portais dans mon ventre, Lesly a eu des visions se rapportant à ce que je suis en train de te révéler. Quand tu es montée dans l'Au-delà, à la fin de ta dernière existence, la première chose que tu as faite a été de nous présenter l'un à l'autre, Lesly et moi, afin que nous nous réincarnions à la même époque pour te donner naissance.

— C'est fabuleux !

— Tout à fait. Et ce que tu as obtenu depuis, tu as fait de nombreux efforts pour l'avoir. Tu peux être fière, car tu as accompli des exploits Là-haut, entre tes deux vies.

— As-tu eu des visions, toi aussi ?

— Il m'arrive d'en avoir, mais elles se présentent surtout sous la forme de sensations. Ton père voit, moi, je ressens.

— Une combinaison parfaite !

— Et c'est grâce à toi, Jade ! C'est toi qui as voulu cette union terrestre.

Je songe soudain à mon frère, au jour où lui et moi avons vécu une situation de déjà-vu. Je questionne ma mère.

— Et Jordan ? Grand-mère m'a dit qu'il était mon neveu dans ma dernière existence.

— C'est exact. Tu lui avais dit que vous vous retrouveriez dans une prochaine vie et que vous auriez une mission à accomplir ensemble.

— Nous voilà tous réunis.

— Pierrot, lui, était ton mari, ton âme sœur. Peu après votre mariage, tu as décidé de quitter la Terre pour préparer ta prochaine mission, celle de nous réunir, Lesly et moi. En fait, tu avais hâte de me revoir. C'est pour cette raison que tu es partie de façon aussi précipitée, laissant seul un mari accablé. Ça a été pénible pour lui, tu sais.

— Mais je me suis rachetée en lui donnant rendez-vous dans ma nouvelle incarnation.

— Vous étiez effectivement prédestinés à vous retrouver. Tout a été mis en œuvre avec le plus grand soin.

Mon regard se perd parmi les arbres imposants.

— Et dire que j'ai failli ne pas me rendre à Lac-Simon, où je l'ai vu pour la première fois… Tout s'est fait si rapidement ; il ne nous a fallu qu'un simple regard.

— En effet. Vous vous êtes reconnus dès le premier instant.

— Comme s'il n'y avait pas une seconde à perdre, ou, plutôt, comme si nous devions absolument nous parler pour faire connaissance.

Je songe à ce premier instant magique.

— Tu vois, Jade, les âmes qui doivent se retrouver dans une existence ultérieure finissent toujours par le faire. Je te le dis au cas où il faudrait, une fois de plus, que je quitte cette Terre avant toi…

— Ne dis pas ça, maman ! Je ne veux pas que tu partes avant moi cette fois-ci !

— Je ne veux pas non plus que tu partes avant moi !

— Dans ce cas, nous quitterons la planète en même temps ! Lesly, Jordan, Pierrot, toi et moi. Tous dans le même bateau !

— Un vaisseau spatial serait plus approprié pour nous transporter dans une autre dimension.

— Un vaisseau spatial ? Pourquoi pas ? Tu sais comment construire ça, toi ?

— Rappelle-toi les paroles de ton père : tout est symbole. C'est par l'esprit que nous créons. Les objets ne sont que des outils, des guides. Nous n'en avons pas absolument besoin. C'est par la force de la pensée que nous monterons à bord de ce vaisseau pour nous rendre dans l'Autre Monde.

Chapitre quinze

Aussitôt que les hommes reviennent de leur randonnée, j'explique à Pierrot l'idée du vaisseau. Il me regarde avec de grands yeux.

— Je vois que votre entretien a été des plus prolifiques. Après la robe, la Cadillac et la boule de cristal, voici le vaisseau. Vous ne manquez pas d'imagination, ta mère et toi ! Tu as l'intention de parler de ce projet à Lesly ?

— Probablement.

— J'aimerais être tenu au courant.

— Rassure-toi, nous te tiendrons informé des développements.

— Tant mieux !

***

Ce soir-là, je propose à ma famille d'aller à Tulum pendant les vacances de Noël afin de visiter les temples tous ensemble. L'idée est reçue avec enthousiasme. Nous projetons de partir dans quelques jours.

Auparavant, je dois retourner au Québec pour des séances de dédicaces et, dès le lendemain, Pierrot et moi prenons place à bord de la Cadillac rouge. J'ai revêtu ma robe jaune, qui est devenue ma marque de commerce. Je suis prête.

Nous nous sommes habitués à voir les paysages se transformer rapidement tout au long de la route. Depuis un moment déjà, notre aspect physique se transforme aussitôt que nous prenons place dans notre voiture. C'est donc sous l'apparence d'un couple princier maya que nous faisons notre entrée dans la ville de Montréal.

Nous nous arrêtons au fastueux hôtel Le Reine Élizabeth, où a eu lieu, il n'y a pas si longtemps, le lancement de mon livre. Nous y avons réservé une chambre pour la nuit.

Un valet s'avance promptement vers ma portière. Il précède un jeune homme qui tente de s'adresser à lui en catimini, mais sans beaucoup de succès. Nous le suspectons aussitôt de manigancer quelque chose.

Quand le valet prend place dans la voiture, le jeune homme en question s'adresse à moi. J'ai immédiatement une étrange intuition : il tente de faire diversion. Mais pourquoi ?

— Jade, je suis un journaliste, mais pas n'importe lequel ! Moi aussi, je suis capable de me déplacer dans des mondes virtuels ou parallèles. Je peux apparaître et disparaître quand je veux. Je peux également me transformer, comme si je me téléportais à une autre époque. La même chose se produit avec vous deux. Pouvez-vous m'en parler ?

Pierrot me serre contre lui, l'air horrifié.

— Mais qu'est-ce que c'est que cette histoire ?

— Je vous ai vus vous transformer en Mayas, au bal. Votre apparence actuelle est absolument identique, on ne peut s'y méprendre ! Je vous ai tout de suite reconnus ! Je comprends ce qui se passe dans ces moments-là pour avoir personnellement vécu le même miracle. J'aimerais m'entretenir avec vous à ce sujet. Les gens ont besoin de savoir !

Je le regarde dans les yeux.

— Écoutez, monsieur…

— Louis Hameau. À votre service, princesse !

Il braque sur moi son appareil-photo.

— Louis, je suis très touchée par votre demande, mais nous arrivons de loin et souhaitons nous reposer, alors…

— Vous arrivez tout droit de Californie ! m'interrompt-il en appuyant sur le déclencheur de son appareil. Et vous avez quitté Santa Barbara il y a à peine quelques heures, voire quelques minutes. Vous avez fait la route en un rien de temps avec votre Cadillac rouge. Je sais tout !

— Comment vous y prenez-vous pour connaître le moindre de nos faits et gestes ?

— Comme je vous l'ai dit, moi aussi j'expérimente des choses extraordinaires. Je suis capable de voyager dans le temps et...

Pierrot me fait signe de regarder dans la direction opposée. Louis nous imite, l'air soudainement inquiet.

— Mais pourquoi le valet revient-il ici avec la Cadillac ? fait Pierrot, perplexe.

La réponse ne tarde guère. Après avoir fait marche arrière jusqu'à nous, le valet immobilise la voiture et en sort aussitôt.

— Je suis désolé, balbutie-t-il, je n'ai pas pu me rendre jusqu'au stationnement. Je ne sais pourquoi, je suis incapable de rouler plus de quelques mètres avec votre véhicule. C'est vraiment étrange. Il ralentit, s'arrête, puis repart, et ainsi de suite. Je n'y comprends rien !

Nous observons les deux hommes, qui ont l'air de deux gamins pris en faute.

— Problème de... de mécanique ? bégaye Louis.

— Je crois plutôt que monsieur le valet avait une mauvaise intention, insinue Pierrot.

— Une mauvaise intention ! s'insurge le valet. Mais que voulez-vous dire ? C'est une accusation ?

— N'aviez-vous pas l'intention de disparaître avec cette magnifique Cadillac ? suggère encore Pierrot.

— Vous m'accusez d'avoir voulu me sauver avec votre automobile ?

— Je n'accuse pas, je questionne.

— C'est la même chose, non ?

— Pas du tout. Je vous pose la question, c'est tout. Sachez que cette Cadillac est prémunie contre les mauvaises intentions. C'est pourquoi vous avez été incapable de la conduire. Je vais la mener moi-même au stationnement. Veuillez me remettre la clé.

— Ils ont découvert la manigance, chuchote Louis à l'oreille du valet.

Le valet, figé de peur, hésite à lui rendre la clé. Pierrot le rassure.

— Écoutez, monsieur, nous ne dirons mot de cette histoire à personne, surtout pas à votre supérieur, mais prenez cette expérience comme un avertissement. Les mauvaises intentions finissent toujours par nous revenir; c'est l'effet boomerang. Tenez-le vous pour dit.

L'homme semble rassuré. Il remet la clé à Pierrot, puis il disparaît avec le journaliste. Pierrot et moi nous dirigeons, bras dessus bras dessous, vers notre Cadillac rouge.

*** *

Au terme d'une journée de dédicaces dans la métropole, nous prenons la route en direction de Saint-Mathieu-du-Parc. Je dois récupérer des effets personnels dans ma résidence avant que le camion de déménagement ne vienne chercher le reste.

Quand je passe près de ma Jetta bleue, immobilisée dans l'allée, je ne peux m'empêcher de caresser sa carrosserie. Je songe tout haut :

— C'est grâce à cette voiture que je t'ai rencontré. C'est elle qui m'a menée du point A au point B, malgré la panne d'essence. Je lui en suis très reconnaissante.

Pierrot m'entoure de ses bras.

— Cette voiture est le symbole de notre amour ; il faut la garder. C'est une voiture de collection, dorénavant.

— Léonardo m'a dit qu'il en prendrait soin et qu'il me la ramènerait en Californie lorsqu'il viendra nous visiter.

Je regarde mon ancienne demeure, une larme à l'œil.

— Crois-tu que nous avons pris la bonne décision, mon prince ? Cette maison me manque déjà terriblement !

— C'est normal, tu y as vécu tes premières années de femme adulte et indépendante. Mais tu verras, nous serons bien, là-bas, au bord de la mer. C'était l'un de tes plus grands rêves, tu me l'as dit maintes fois. Ne t'attarde pas sur le passé, profite du présent, et fonce vers l'avenir. Notre avenir.

— Le Québec ne va pas te manquer ?

— Bien sûr, mais je vais m'amuser comme un fou en Californie ! Les plages, le surf, le travail au grand soleil… Tout ce dont j'ai toujours rêvé. Je n'avais simplement jamais eu le courage de faire le grand saut. Avec toi, ça change tout.

— Et tes amis ? Tes parents ?

— Ils m'ont promis de venir me voir régulièrement. De toute façon, avec cette Cadillac magique, tout est possible, non ? Si nos amis nous manquent, nous n'aurons qu'à sauter dedans et hop ! nous serons auprès d'eux en un claquement de doigts !

Nous passons quelques jours au Québec à régler des affaires et à festoyer avec nos proches. Je rencontre notamment Léonardo afin de mettre au point certaines stratégies de marketing. J'ai le bonheur d'apprendre que mon premier livre est dorénavant un best-seller et que le prochain est déjà attendu avec impatience.

Au terme d'un séjour bien rempli, nous repartons vers la Californie pour préparer notre voyage à Tulum.

Chapitre seize

En route vers Tulum, quelques temps avant Noël

C'est le moment du départ. Lesly prend le volant, ma mère à ses côtés. Jordan est assis entre Pierrot et moi, à l'arrière. Nous avons cru préférable de ne pas emmener Emily, qui passera plutôt les fêtes avec sa famille.

Dès que mon père démarre la voiture, les paysages défilent à une vitesse ahurissante, bien que tout semble au ralenti. Mes parents se transforment presque instantanément en roi et reine mayas; cela leur va comme un gant! Et ils se mettent même à rajeunir, il me semble...

Nous aussi, à l'arrière, prenons peu à peu l'apparence de personnages mayas. Même Jordan se métamorphose.

Nous parvenons à Tulum en un temps record et optons pour un chaleureux bungalow traditionnel tout en bois, en bordure de mer. Dès notre arrivée, Jordan s'élance sur la plage à la recherche, soutient-il, d'étranges coquillages ou de fabuleux êtres marins. Il nous invite à le suivre.

C'est ainsi que nous partons à l'aventure, défiant les vagues et les falaises, avides de découvertes, tels des explorateurs. C'est Jordan qui, entre deux rochers, fait la première découverte.

— C'est un crâne! s'écrie-t-il en s'emparant de l'objet.

— Je crois que c'est celui d'un animal marin, avance Lesly.

Après l'avoir observé sous tous les angles, Jordan dépose sa trouvaille dans son sac à dos.

— Ce crâne est dorénavant mon objet magique, le symbole de mon initiation aux mystérieuses Lois de la vie !

Lesly le regarde avec affection.

— Il apprend vite, le petit Jordan !

Ce soir-là, épuisés par notre longue randonnée, nous nous abandonnons au sommeil dès la tombée de la nuit. Tôt le lendemain, nous partirons en « pèlerinage », ainsi que Lesly s'amuse à le dire.

***

À l'aube, nous nous mettons en route vers le site archéologique de l'ancienne cité maya. Nous y visitons, réellement cette fois-ci, quelques temples. Malgré l'heure matinale, de nombreux touristes se pressent déjà autour des monuments et la chaleur se fait pesante.

D'un commun accord, nous quittons le site tôt en avant-midi pour nous aventurer hors des sentiers battus. Au terme d'une longue marche, nous faisons la découverte d'une cénote, à l'abri des regards. L'endroit est tout à fait enchanteur.

— Reposons-nous ici, suggère Lesly. C'est l'endroit idéal pour faire une sieste.

Nous sortons de nos sacs à dos des couvertures que nous étalons sur le sol.

— L'eau était précieuse pour les Mayas, commence Lesly. Ce doit être pour cette raison qu'ils se servaient parfois des cénotes pour leurs cultes.

— Ce lieu est donc sacré, père ?

— Tout à fait, Jade !

Nous nous prélassons à l'ombre et je suis sur le point de m'endormir quand j'entends la voix de Lesly, comme dans un songe.

— Je vous propose de faire une ascension.

Je tourne lentement mon regard vers Pierrot qui est, lui aussi, somnolant.

— Tu sais de quoi il parle, toi ? lui demandé-je.

— Pas du tout, répond Pierrot. Je ne vois pas de montagne à gravir dans les environs.

— Je parle d'ascension vers les Hautes Sphères, précise Lesly.

Je jette un regard à ma mère. Elle sourit en hochant de la tête.

— Nous allons vous initier à l'ascension vers les Hautes Sphères Célestes. Quand vous saurez comment y parvenir, vous pourrez quitter la Terre et y revenir quand bon vous semblera, si tel est votre souhait.

Je me redresse et m'appuie sur un coude.

— Tu peux rester étendue sur ta couverture, Jade. Ce sera plus confortable, car nous demeurerons dans la même position pendant un long moment. Je ne vous en dis pas plus pour l'instant, si ce n'est que nous serons bientôt de retour à la maison, Là-haut, tous ensemble. En attendant, je vous invite à prendre de profondes inspirations pour vous détendre complètement. Vous n'avez qu'à suivre mes instructions et tout se passera bien. Bon voyage !

Il s'écoule un certain laps de temps avant que ne s'élève à nouveau la voix de Lesly. De longues minutes — ou de longues heures ? — au cours desquelles nous n'entendons que le clapotis de l'eau et le chant d'un oiseau.

Quand mon père prend enfin la parole, je suis dans un état méditatif profond. Sa voix semble me parvenir de très loin.

— L'air et l'eau contiennent tout ce dont nous avons besoin pour élever notre âme. Grâce à ces deux éléments, nous pouvons nous élever très haut. Nous pouvons aller loin au-dessus des nuages. Si nous savons reconnaître les propriétés les plus pures de l'air et de l'eau, nous pouvons nous en faire des amis, des guides. Ceux-ci nous aideront à monter de plus en plus haut.

J'ai toujours aimé l'air, les airs; j'ai toujours aimé l'eau, aussi. C'est donc tout à fait naturel pour moi de m'abandonner à leurs propriétés les plus pures. L'air sent si bon, et il est si euphorisant... Et l'eau! Quel bonheur que de s'immerger dans l'eau! Quelle sensation divine...

— Nous avons appris à voler avec des avions, avec des hélicoptères; il est temps dès à présent d'apprendre à voler de nos propres ailes. Nous avons appris à naviguer sur des bateaux, ou à bord de sous-marins. Nous avons appris à nager, soit; il faut désormais savoir comment marcher sur l'eau avec nos pieds. Nous devons également apprendre à respirer sous l'eau, peu importe la durée, comme les poissons...

Je m'imagine en train de plonger dans les eaux turquoise de la mer. Je plonge encore plus profondément. Je nage parmi les poissons, puis je remonte à la surface. Soudain, j'ai l'impression d'avoir des ailes. Des ailes d'oiseau. Je m'élance. Je prends mon envol. Je vole, toujours plus haut. Je m'élève, encore et encore.

L'air est de moins en moins chaud. La sensation de liberté est magnifique. Je ne ressens plus aucun poids dans mon corps. Je suis légère, de plus en plus légère...

Je n'ai plus conscience de mes membres. Je ne ressens plus aucune émotion. Je fais partie intégrante de l'univers. Je me sens invincible, infatigable, omniprésente et omnipotente. Je perçois l'étendue de l'espace dans sa totalité. Je ne fais qu'un avec l'air.

Mes cinq sens cessent de fonctionner. Il n'y a plus de couleurs, plus de sons, plus d'odeurs. Que de l'air, que l'infini de l'espace.

Plutôt que d'errer dans le néant, je vibre dans cet espace infini. Je suis consciente de chacune de mes pensées; elles seules survivent dans cette dimension. Elles deviennent d'ailleurs de plus en plus fluides, de plus en plus pures...

Divines. Mes pensées sont maintenant divines, empreintes de lumière. Je suis traversée par une fulgurante énergie faite d'un amour inconditionnel.

Puis, pendant un moment, plus rien.

Et, finalement, une vague d'énergie encore plus puissante m'imprègne, pénètre mes pensées avec force. C'est euphorisant.

Je ne suis plus qu'amour et lumière. Tout ce que j'ai à faire, c'est laisser cette énergie se répandre tout autour.

Au sein de cet immense bain divin, un message m'est transmis subtilement : « Amour et lumière, voilà ce que contiennent les Hautes Sphères. Nous sommes maintenant tous rassemblés à la maison dans cette bulle céleste. »

Puis, tout à coup, cette bulle d'amour et de lumière s'anime. Me parviennent alors des bribes du futur, une vision d'un avenir lointain, d'une prochaine vie : dans mon ventre viennent d'être plantés les germes d'un enfant à naître…

C'est cela, *le spasme de vivre.*

* FIN *

Merci à tous les lecteurs de *La Robe jaune* qui,
par le biais de messages inspirants,
me procurent le carburant nécessaire
à la poursuite de cette belle aventure.

L'extrait du poème « Soir d'hiver » d'Émile Nelligan provient du recueil *Œuvres complètes I, Poésies complètes* publié en 1992 par Bibliothèque québécoise.